Mirada de doble filo

MIRADA DE DOBLE FILO

Ana Lydia Vega

LA EDITORIAL
UNIVERSIDAD DE PUERTO RICO

Ana Lydia Vega
Mirada de doble filo

ISBN: 978-0-8477-1153-6

Diseño de portada: Teresa López
Diagramación: Salvador Rosario / La Editorial

Impreso en Colombia / Printed in Colombia

LA EDITORIAL
UNIVERSIDAD DE PUERTO RICO
Apartado 23322
San Juan, Puerto Rico 00931-3322
www.laeditorialupr.com

A Robert

ÍNDICE

RONDA DE VELORIOS

ESPECTÁCULO DE VARIEDADES

ZOOM A LA MEMORIA

CONTEMPLACIONES FESTIVAS

VISTAZO DE CLAUSURA

CONSULTA DE REFERENCIAS

CRÉDITOS

Hago constar mi aprecio y agradecimiento a los siguientes amigos y colaboradores:

A María Luisa Ferré, Nelson Gabriel Berríos y Héctor Peña, promotores de mi ingreso al inquietante mundo del periodismo de opinión.

A Luis Rafael Sánchez, Magali García Ramis y Armindo Núñez Miranda, sin cuyo generoso estímulo estas crónicas hubiesen quedado huérfanas de libro.

A Robert y Lolita Villanúa, lúcidos y minuciosos evaluadores de manuscritos en cierne.

CRÓNICAS DEL OJO ERRANTE

Cuando *El Nuevo Día* me invitó a publicar columnas en su sección *Perspectiva*, bien lejos estaba yo de sospechar que, doce años después, algunas de esas páginas sueltas se darían cita en un libro.

Las noticias expiran; las posturas varían; las circunstancias se difuminan. El periodismo de opinión se revela como un quehacer a la vez estimulante e ingrato. Estimulante porque incita al afán de atrapar la vida en fuga. Ingrato porque, al exprimir la savia del momento, deniega la ilusión de permanencia.

El columnista acomete la espinosa encomienda de fundir la actualidad en el crisol del discernimiento. Para producir una interpretación responsable, tendrá que estar atento al menor incidente, a la menor contingencia. El estado de alerta requiere un contacto sostenido con los medios y una amplia apertura al criterio ajeno. Por encima de esa receptividad al aporte exterior, se sitúa la exigencia mayor del oficio: el afinamiento puntilloso de la mirada.

No me refiero a las estrategias de rastreo que orientan la gestión del investigador. Ésas son, por supuesto, herramientas indispensables de trabajo. La mirada aludida rebasa la observación habitual. Es el punto de enfoque donde convergen el reconocimiento, el análisis, el juicio y la intuición. Sin cultivo de la mirada, no hay profundidad en la escritura. Sin dominio de la escritura, no hay trascendencia en la mirada.

Severas son las condiciones que dicta la factura de una columna. La inspiración se acostumbra a la presión implacable del calendario. La extensión se ciñe a las medidas estrictas del formato. La diversidad de los destinatarios no perdona regodeos ni oscuridades. Bajo tales parámetros, una estructura lógica resistente y un lenguaje claro y preciso se vuelven imperativos insoslayables.

La elaboración de un estilo adecuado plantea retos de envergadura. ¿Se verán amenazadas la elegancia y la sutileza por el mandato de transparencia y concisión? Esos cuatro atributos, que yo sepa, nunca han estado reñidos. Por el contrario, pueden y deben aliarse para forjar una dicción concentrada y sugerente. Lograrlo es otro cantar.

Aquí entra en juego un elemento sin el cual correría peligro la felicidad de la empresa. Se trata de un ingrediente capital de la cocina literaria, aquel que persiguen con tanto ahínco cuentistas, novelistas y poetas: la intensidad. Dado el carácter inherentemente subjetivo del género columnístico, esa volátil cualidad se consigue –cuando se consigue– por las vías riesgosas de la emoción.

No existe nadie más difícil de conmover que un lector. Y cuando digo conmover, quiero decir perturbar, jamaquear el ánimo: mover a lástima, a júbilo, a vergüenza, a nostalgia, a indignación, sí, y hasta mover a risa.

Si algo me ha enseñado este taller es que, para pulsar la fina fibra de quien lee, el tema escogido tiene que estremecer ante todo a quien escribe. En ello le va la vida al texto. En ello reside la verdad del autor.

La intensidad convoca a la empatía o al disenso. Su fuerza magnetiza datos y pareceres. El periodismo de opinión cobra así su valor fundamental: la conversión del documento seco en testimonio palpitante.

* * *

He querido delinear, muy someramente, el proceso que conduce a la creación de una columna. Todas las que integran este conjunto se han esforzado por merecer el escurridizo premio de su atención. Si alguna alcanza a rozar la delicadeza de un nervio, entonces su publicación habrá valido la pena.

Ahora, liberadas de su apretado molde, han dejado de llamarse columnas: se han convertido en breves crónicas. Entre casi ciento cincuenta, he escogido sesenta y una para compartir con ustedes las errancias de un ojo empeñado en explorar la enigmática configuración del país.

Se impuso una revisión en aras de la unidad del volumen. En algunos casos, recorté o añadí a fin de actualizar contenido, pulir expresión o aclarar referencias. En otros, dejé intacta la versión original. Eximidas del contexto inmediato que las enmarcaba, las crónicas se han declarado prófugas del orden cronológico. Han establecido alianzas: se han juntado al son de sus propias afinidades.

Así se fueron conformando seis apartados cuyos títulos responden al motivo central de la mirada. Como lectores libres, podrán ustedes aprobar mi propuesta organizativa o desacatarla a voluntad.

El desfile se inicia con "Vuelos de reconocimiento", itinerario de un viaje con ansias panorámicas y escalas insistentes. "Mirador íntimo" acecha a un mundo menos concreto, ése que a diario se mece entre lo obvio y lo invisible, entre lo sublime y lo grotesco. La muerte, el único misterio que no ha podido desdramatizar la humanidad, es el denominador común de una anochecida "Ronda de velorios".

Despeja los aires fúnebres un movido "Espectáculo de variedades" protagonizado por los esguinces guiñolescos de la política criolla. De onda más ponderada, los triunfos y tragedias de nuestra historia remota y reciente se amalgaman en "*Zoom* a la memoria". Una tanda de "Contemplaciones festivas" proyecta un final juguetón en torno a los símbolos y las celebraciones oficiales.

Especie de coda o de envío, "Vistazo de clausura" entrega la pieza de cierre. Es la que glosa el título de la colección. Discretamente apostada a la salida, formula un proyecto de aproximación a las realidades puertorriqueñas que el buen entendedor ya habrá anticipado.

Queda por señalar la presencia de unas notas informativas. Un listado de fechas y un índice onomástico se añaden al apéndice de consulta.

Sin más demoras, me atengo a los rigores de su lectura. El ojo errante se aloja ahora en la pupila indócil de mi interlocutor.

VUELOS DE RECONOCIMIENTO

MI PAÍS ES EL MAR

Hay una canción de Gilles Vigneault que es casi un himno nacional en Quebec. Su estribillo proclama orgulloso: "Mi país no es un país: es el invierno". Las vastas planicies nórdicas arropadas de frío y alfombradas de nieve se convierten, por antojo del artista, en paraíso helado con calor de patria.

La inusitada declaración de amor de Vigneault invita a la comparación. Como Quebec, el nuestro tampoco es un país en el sentido jurídico del término. Su carácter de isla le confiere una cohesión geográfica que parece sustituir con éxito al evasivo concepto de nación. Si alguno de nosotros quisiera capturar en palabras esa sensación tan visceral que apasiona al puertorriqueño por su lugar en el mundo, tendría que afirmar sin titubeos: Mi país es el mar.

Hace millones de años, emergió de las olas la masa de corteza terrestre que hoy llamamos Puerto Rico. Volcanes clandestinos hincharon sus montañas. Marejadas rebeldes esculpieron sus litorales. Así, a golpes de viento y agua, se forjó esta pequeña cordillera flotante que es nuestra casa. Playas y acantilados, dunas y mogotes, lagunas y sumideros, caños y arrecifes, manglares, bahías, ensenadas, islotes y cayos le dibujan un perfil de casi seiscientos kilómetros, recordatorio permanente de su hechura oceánica.

No en balde, para cantar las bellezas de esta tierra, poetas y músicos han buceado inspiración en el mar. Desde las exaltadas odas de José Gautier Benítez hasta la tierna "Verde luz" de Antonio Cabán Vale, la marea lírica se ha coronado de metáforas espumantes. No hay canción patriótica que no celebre al "gran espejo". No hay postulante al título de Bardo Nacional que no haya aclamado "el níveo cinturón" de sus riberas.

Entre las evocaciones literarias más memorables del panorama marino, sobresale la de René Marqués en su novela *La víspera del hombre.* Cuando el joven Pirulo baja del cafetal para presenciar por primera vez la violencia del Atlántico, se queda sin respiración: "Desde el cerro arenoso, sus ojos miraban sin pestañear la maravilla de aquel horizonte abierto, donde al desamparo del cielo claro se unía el desamparo del agua oscura, formando un solo desamparo de misterio azul." Y concluye el narrador, conmovido ante la turbación del personaje: "Era casi como estar desnudo ante Dios."

Quienquiera que se asome al espectacular malecón de Arecibo compartirá el asombro de Pirulo y la fascinación de Marqués. Si a aquella inmensidad rugiente se añaden la silueta brumosa del faro y la súbita infiltración de un río teñido de barro, no hay, en todo Puerto Rico, vista más ininterrumpidamente deslumbrante.

Y mucho menos en San Juan. Con millas y millas de unas playas que harían la dicha de cualquier capital caribeña, la nuestra se ha dejado enclaustrar. Desde el Condado hasta Isla Verde, peatones y conductores circulan por un angosto corredor de cemento. Escasas son las rendijas que conceden un atisbo del universo murado. Tras la barricada interminable de edificios, masivo monumento al lucro que confina la mirada y el ánimo, San Juan languidece entre humedales secos distanciada de su contexto vital.

La verdad pura y dura es que la tragedia costera se reproduce sin freno. En Cataño, en Dorado, en Vega Baja, en Isabela, en Loíza, en Luquillo, en Vieques, en Culebra, en todos los rincones agraciados por el vaivén perpetuo de las olas, nos están robando a mano armada el mar. Pronto habrá que alquilar balcones en condominios de lujo o pagar vueltas en lanchas paseadoras para rememorar la infinitud de la onda o el sabor de la salpicadura en la piel.

La ocultación sistemática del paisaje constituye un delito de lesa humanidad. Una de las actividades más gratificantes con que contamos los isleños es la contemplación del océano. El juego de luz y color subvierte el imperio gris del concreto. En medio del ajetreo urbano, el rumor hipnótico del oleaje provoca un estado meditativo sumamente relajante. Con tamaño instrumento de paz a nuestro alcance, es inconcebible que hayamos permitido, por desidia, la privatización de nuestro principal recurso natural.

En aras de un progreso cada vez más cuestionable, gobiernos sucesivos disponen del país como de una parcela de su propiedad. Incumpliendo promesas de campaña, contradiciendo política pública, violando las sacrosantas disposiciones de la mismísima Constitución, estos cabros electos para velar por nuestras pobres lechugas rematan sin remordimientos el espacio siempre menguante entre el mar y la ciudad.

La excusa es el "desarrollo", vocablo que ha perdido su neutralidad para adquirir matices antipáticos e inquietantes. Al invocarlo, se suele prescindir de la compañía protectora del adjetivo "sustentable". No se trata pues de una evolución estructurada y armónica sino más bien de un desorden expansionista dictado por la sola voluntad de especuladores y traficantes.

¡Qué distinto fue el destino marítimo de otras ciudades antillanas! Santo Domingo y La Habana supieron hacer honor al lujo de su emplazamiento con sendos malecones que, extendidos por kilómetros, garantizan fresco, belleza, y desahogo al enjambrado de su población. Allí, el marullo estalla libre, en profusión de espuma, para que quien lo contemple nunca olvide su esencial condición insular.

A pesar de los pesares, el disfrute playero se ejerce aquí con intensidad. Los domingos, las pocas carreteras todavía contiguas al rumor del batiente se atiborran de autos. Los balnearios revientan de gente. El aire huele a aceite de broncear. Música, comida y diversión completan la espléndida oferta sensorial que prodiga la naturaleza.

Como en los tiempos de los conquistadores, el archipiélago caribeño sigue siendo carnada del deseo. Por disfrutar de sus encantos, se endeudan y atraviesan continentes miles de turistas. Ajenos a las amenazas que se agolpan sobre el futuro, los bienaventurados habitantes dan por sentada la eternidad de su hermosura.

En poco más de cincuenta años, hemos visto la acelerada degradación de la pequeña cordillera flotante que habitamos. Con mejor suerte, o quizás con mayor sabiduría, el país invernal de Vigneault continuará inspirando poemas y canciones. El nuestro se nos está muriendo por descuido, despojado sin piedad hasta del recuerdo del mar.

MI AMIGO EL RÍO PIEDRAS

Empiezo a entusiasmarme desde que diviso la cerrazón de las nubes. La breve tregua que el calor se digna a declarar manda una celebración. Cuando me llega el olor a tierra húmeda –señal inequívoca de que han caído las primeras gotas– estoy a punto de cantar como el coquí que se ha instalado, hace ya una semana, en el tiesto mayor del balcón.

El mío no es un júbilo inocente. Tengo agenda secreta. Prendo velas para que San Isidro Labrador se distraiga, para que desatienda su faena aguafiestas, para que no le vaya a dar con tomarse demasiado en serio su misión de escampador. Le guiño un ojo a la Virgen de la Cueva, le pido que se apiade del polvo nuestro de cada día, que mande a abrir las compuertas celestiales y desate chubascos a raudales sobre la espalda seca de la ciudad.

Con la llovizna vuelta chaparrón, mi alegría se dobla de impaciencia. Tan pronto amaina la catarata que picotea las miamis, corro a calzarme los *tennis*, a buscar la sombrilla prehistórica que cuelga obediente del pasamanos de la escalera. Y, sin más protección que la que me ofrecen su tela raída y sus varillas dislocadas, atravieso la insólita paz de Santa Rita rumbo al pequeño paraíso urbano del Jardín Botánico.

Allá me espera mi amigo, el río Piedras: robusto, rojizo, revuelto, hecho todo un señor torrente. Está como me gusta verlo: henchido de orgullo, volcado sobre sus márgenes, lejos, muy lejos de aquel tímido chorrito que esconde su vergüenza entre las paredes hirvientes de los escorrederos.

Me quedo un rato largo frente al puente Norzagaray, contemplando el caudal que rejiende poderoso desde las alturas de Caimito. Después, repecho por la vereda paralela al cauce para espiarlo en la misteriosa intimidad de sus meandros. El pobre va gruñendo de gusto mientras remolca lodos y ramajes en su febril carrera hacia el mar.

¡Cuán diferente hubiera podido ser la vida de esa simpática corriente que discurre generosa por barrios y urbanizaciones de la zona metropolitana! En tiempos idos, fue la reserva más importante de agua potable para los habitantes de la capital. Por eso, precisamente, se levantó en sus riberas la ermita que sirvió de antepasado a la muy noble y leal Villa del Roble, hoy despojada de su autonomía histórica y malcasada con San Juan.

En el siglo diecinueve, al igual que en el veinte, el río Piedras regó los cañaverales de ingenios y centrales cañeros. En décadas no tan remotas, las jiras de los adultos y las escapadas de los adolescentes tenían por destino preferente sus aguas limpias y frescas. Los viejos riopedrenses evocan todavía los chapuzones veraniegos en la Poza de los Platinos y la pesca de camarones y guabinas en la Charca de la Ceiba.

Muchas e imperdonables son las afrentas infligidas al único río que ostenta nuestro municipio capital. Y digo único, porque el llamado río Puerto Nuevo no es más que una de las venas peregrinas de su sistema vascular. Reunidos en el canal Margarita, ambos van a perderse juntos en el abrazo de la bahía.

La fiebre del cemento –aquella pandemia que nos llevó a sembrar miles de jaulas idénticas a todo lo ancho de nuestros campos cultivables– asoló también al río. El lastimero cuadro que presentan sus quebradas –desviadas, sepultadas, contaminadas, convertidas en asquerosos vertederos y apestosas cloacas– aflige el alma y desafía la razón.

De no haber sido por la ausencia de una planificación ajustada a nuestras necesidades, ese corredor de frescura que nos obsequió la naturaleza podría ser hoy un valiosísimo pulmón. Paseos arbolados, con bancos y faroles a lo largo de su curso pondrían al alcance de todos un remanso de serenidad.

En vez de mitigar la seria amenaza de las inundaciones estacionales, las canalizaciones fallidas han agravado la crisis ecológica. Si se hubiese respetado la dignidad del río, colocándose calles y casas a distancia prudente de sus legítimas colindancias, ningún vecino tendría hoy motivos para sentirse intimidado por los arranques pasionales del cuerpo fluvial.

Contra toda adversidad, el río Piedras sigue avanzando empecinado desde el monte hasta el mar. El frenesí desarrollista amenaza con secar, entubar o descarrilar lo que de él nos queda. Con el pronóstico de carestía que arrastra el calentamiento global, el daño irreparable ocasionado hoy a los cuerpos de agua regresará a atormentarnos algún día.

La tradición oral riopedrense asegura que un brazo peregrino del río pasa por debajo de la ciudad. Ojalá fuese cierto. Ojalá que el río entero pudiera derramarse en el vientre tibio de la tierra. Allí, al menos, se alargaría y se ensancharía a capricho, en plena libertad, apartado de la voracidad humana, protegido de nuestra insensatez.

HURACÁN A LA VISTA

La temporada debuta en grande. Agosto aplanó sin piedad a Cuba y la Florida. Ahora, con su aliento de fuego y su rabo de vientos, septiembre ronda feroz por el Caribe como un dragón de treinta patas. Es la fecha fatal, el mes pico del invernazo, cuando la calentura máxima de las aguas envalentona a esos espíritus vengadores que resoplan ultimátums desde África.

Un corrientazo de nerviosidad nos sacude tan pronto cualquier onda inofensiva emprende la travesía del Atlántico. Esperando su inevitable promoción de depresión a huracán con cinco categorías escalables, escrutamos día y noche el horizonte del televisor. Mapa en mano, trazamos la trayectoria ascendente del fenómeno, temerosos de que pueda alcanzar esa bendita latitud dieciocho donde anida nuestro país.

Si de casualidad, atraído por el irresistible imán continental, el aparato gira muy pronto hacia el norte, respiramos aliviados. Pero si escoge la ruta sureña, trepando de isla en isla por todo el arco antillano, el suspenso se vuelve insoportable. Cuando por fin es ya seguro que el Gran Ojo Viajero apunta su mirilla caprichosa hacia estos lares, se abren, súbitamente, las compuertas de la locura colectiva.

La ciudadanía se apertrecha para la emergencia como si nunca más fuera a haber un mañana. Gasolineras, ferreterías y cajeros automáticos se abarrotan de clientes en pánico. Los supermercados rompen *records* de ventas. De sus góndolas olvidadas, resurgen victoriosas la leche en polvo y las galletas Rovira. De pronto, vivir ya no es posible sin esas latas de atún, jamonilla y salchichas que habrán de mantener a raya la canina.

La histeria de la acaparación provoca sus conflictos. Hay gritos, empujones y hasta combates cuerpo a cuerpo por ese último paquete de baterías o esa última vela para San Judas Tadeo. Es como si la vecindad de un huracán activara el gen memorioso de un pasado indigente. La sola idea de la hambruna transitoria, el solo pensamiento de la privación temporal, despiertan en los puertorriqueños ese brío combativo tan difícil de movilizar para otras causas.

La fobia de la escasez contrasta con la indigestión de informaciones que se nos ofrece. Como si no bastara con el sobresalto incesante que producen los aspavientos de algunos telerreporteros, a cada hora se interrumpe la programación regular para que puedan asomarse a la pantalla el gobernador de turno y su corte de funcionarios. Ni la gravedad del tono ni las caras de póquer logran disimular la insignificancia del anuncio que nos tienen: un refrito de lo que hace ya rato ha informado el comedido *Weather Channel*.

De repente, y en el peor momento posible, cortada la luz y muerto el cable. El televisor se ha quedado en negro y su ojo ciego nos interroga desconcertado. Un silencio sobrecogedor sustituye al ronroneo del acondicionador de aire. La calma que precede al huracán ha dejado de ser un proverbio para instalarse por sus fueros en todos los hogares. La sequía de las plumas y el mutismo de los inodoros consolidan, de una vez por todas, el desamparo.

Desconectados de la rutina cotidiana, reducidos a una domesticidad forzosa, familiares y amigos se reúnen como en pocas ocasiones. Afuera ya no ruge la ciudad; sólo los ventarrones y el cielo encapotado. Con las tormenteras puestas y las puertas atrancadas, creyentes, ateos y librepensadores se encomiendan juntos a la Divina Providencia congregados alrededor de un radio.

Una alegría rebelde se va apoderando de los ánimos. No hay clases ni trabajo ni citas pendientes. Sobrevivir es la única encomienda. Con el miedo hecho festejo, la vida recobra su propósito primero. Se brinda a nombre del huracán. Se consumen los alimentos almacenados. Se echan chistes y se canta a coro. El espíritu boricua se manifiesta en todo su esplendor prenavideño. Más tarde, regresará la realidad con su cortejo infinito de inquietudes. Pero, por un instante confiscado al tiempo, el ciclón nos ha reconciliado.

Disuelto el huracán, disipada la magia. Automáticamente, recuperamos nuestra detestable actitud de niños mimados. No tenemos costumbre de incomodidad. La menor contrariedad nos indispone. Un día sin luz ni agua invita a la emigración. La miseria crónica de las tres cuartas partes de la humanidad no nos consuela por la falta de hielo.

La llamada "política del desastre" es el epílogo ineludible. En período electoral, un cataclismo encubre una bendición. Con fondos a granel para repartir entre los damnificados, el gobierno se asegura así una zafra abundante de votos agradecidos. Por su parte, los "federales" (leáse los americanos) vuelven a lucir como dioses dadivosos. No sólo arrestan ladrones de cuello blanco cuando se lo proponen sino que derraman maná celestial en las bocas siempre abiertas de sus ahijados.

Tras el más reciente susto, confío en que hayamos llenado la cuota fijada por septiembre para el año. Con el peligro inminente de unas elecciones sin salida airosa, ¿no creen que merecemos un respiro antes de la próxima embestida?

LA ISLA GENÉRICA

El domingo no es un día liviano. Será por esa calma espesa que antepone al trajín semanal. Será por ese lastre de amables compromisos que acarrea. Existen dos recetas para combatir la modorra dominguera: entregarse en cuerpo y alma a la ley del ocio o lanzarse a la modesta aventura de un paseo.

Lo primero es lo menos arriesgado. Desperezarse lánguidamente, bostezar a plena garganta, revolcarse entre las sábanas como cachorro retozón, posponiendo el momento de calzarse las chancletas. El lujo supremo: leer el periódico mientras se ingiere un desayuno opíparo en una terraza atravesada por la brisa. Y sin supervisión de reloj.

Un majadero sentido moral impide saborear a plenitud los placeres culpables de la inercia. La semana laboral nos programa para la acción. El hormigueo de los pies sabotea la placidez de las nalgas. Espoleados por el tedio existencial, volamos a montarnos en el carro. Único equipaje permitido: la expectativa de la diversión.

Tan pronto dejamos atrás la frontera metropolitana, el arrepentimiento comienza a carcomernos los nervios. Todo Puerto Rico se ha tirado al bitumul con la misma intención. Los tapones crucifican la paciencia. Las bocinas taladran la cabeza. Las curvas invitan al desbarranque. Las maromas de los conductores cortan la respiración.

Haciendo abstracción de esas pequeñas molestias colaterales del progreso, preferimos concentrarnos en el paisaje, obsesión temática de tantos compositores. Canturreando *Preciosa* con todo y tirano, escrutamos los alrededores en busca de inspiración. Por más tierna y benévola que quiera mostrarse, la mirada no tarda en registrar un descubrimiento cruel.

El paisaje, precisamente el paisaje, es lo que está ausente.

Lo suelto a quemarropa: el país se nos ha vuelto feo. Es casi imposible encontrar un llano sin construcción, un río sin basura, una playa sin contaminación. Sembradíos de chatarra rellenan las hondonadas. Kilómetros de desperdicios plásticos ribetean las carreteras. Valiente motivación para las Musas. Si tuvieran que reencarnar en Puerto Rico, Pedro Flores sería inversionista y Rafael Hernández desarrollador.

Al descalabro de la naturaleza, se añade una alarmante precariedad estructural. Casas a medio hacer, ranchones plagados de remiendos, bloques y varillas amontonados a cada vuelta del camino. El conjunto conforma, a su manera, un curioso monumento al abandono. Todo adquiere un carácter provisional, descartable, perecedero. Estamos en el reino del simulacro, donde los súbditos hacen alarde simultáneo de abundancia y de carencia.

Ese cuadro antipático a toda iniciativa turística se extiende a los cascos municipales. Allí, el patrimonio edificado espera la hora de la demolición. Postergados por la indiferencia de los dueños, devaluados por el fanatismo de lo nuevo, los tesoros arquitectónicos son hoy estorbos públicos sin mayor aspiración que la de convertirse en estacionamientos.

Con las áreas residenciales desplazadas a los suburbios, la vida peatonal ha caducado. Los centros urbanos han ido perdiendo su función congregadora para adoptar un aire folclórico. En un país de escala reducida, con cada vez menos terrenos disponibles, la rehabilitación de pueblos y ciudades tendría que ser asunto de primera necesidad.

Rehabilitación, desde luego, es un término polémico. Su alcance parece limitarse a la remodelación de plazas y el remozamiento de aceras. Y no es seguro que el cambio obtenido supere a la versión original. A juzgar por el tamaño de los letreros publicitarios, el verdadero objeto de rehabilitación podría ser la reputación decadente de algún alcalde ratero.

Para desdicha de los ojos, todo ha comenzado a lucir atrozmente igual. La estética de la uniformidad ha secuestrado la inventiva. Es como para maliciar que los contratistas encargados de la magna tarea restauradora son siempre los mismos. Y que su codicia es rebasada únicamente por su falta de gusto.

Todo apunta a una constatación deprimente: pronto estaremos viviendo en una isla genérica. Lo original será lo feo. Lo imitativo será lo bello. No, no se trata de un relato de ciencia-ficción. Basta con abrir los ojos para confirmarlo: la especificidad distintiva de nuestro *habitat* se nos está esfumando sin remedio.

Como ven, un safari dominical tierra adentro puede acabar con la tranquilidad del ciudadano más ecuánime. Ante semejante responsabilidad, no me atrevería a recomendarlo. Tal vez valga más arrellanarse en el sofá con un buen libro entre las manos. Los viajes imaginarios alimentan la curiosidad y aúpan el ánimo.

Suerte que todavía queda la literatura. El día que todo el mundo escriba igual, habrá que abolir el domingo.

SANTURCE ES SANTURCE

"Ponce es Ponce", machacan ufanos los naturales de La Perla del Sur, disimulando a duras penas las ganas de añadir que "lo demás es *parking*". No cabe duda: los ponceños son la auténtica pata del diablo. No sólo se las han arreglado para darnos una sobredosis de belleza arquitectónica, procerato político y protagonismo cultural, sino que han logrado lo que el resto del país no ha podido conseguir en cinco siglos: tener su propio pasaporte.

Pero los ponceños no son los únicos en creerse ombligo de la patria. Iguales pretensiones, con mayor recato, albergan los restantes setenta y siete municipios. Algunos de sus sobrenombres delatan esa secreta sed de epopeya: la Sultana del Oeste, el Diamante del Norte, la Atenas de Puerto Rico, el Corazón del Nuevo País...

Sí, señores, el orgullo regional es cosa seria. Contrario al nacional, siempre objeto de remilgos y polémicas, invita –por encima de toda bandería disociadora– a una cierta unanimidad festiva. Eso me consta porque nací y me crié en Santurce, única y verdadera capital boricua. Así como lo leen. Hasta el muy humillado, abandonado y expropiado barrio de Cangrejos tiene su propia cédula de identidad.

Además del sello cultural que le imprimen sus orígenes cimarrones, Santurce exhibe una configuración distintiva de ciudad colada entre humedales. Su doble personalidad de urbe moderna y arrabalera se ha desarrollado, en gran medida, por oposición al casco encerrado y protegido del Viejo San Juan. Separada por el mar de la isleta, y de Hato Rey por un caño, conserva un aire sedicioso de finca segregada. Tal vez por eso dice una amiga santurcina con genes ponceños que "más allá del puente de Martín Peña, no hay civilización".

Aunque vienen en todos los tamaños, colores y sabores, no es muy difícil reconocer a un santurcino "de a verdad". Hay una prueba infalible para identificarlo: la capacidad de distinguir, casi por instinto, cada una de las paradas de guagua que jalonan las aceras. El resultado no engaña. Ningún advenedizo podrá llegar jamás a penetrar los misterios de esos dígitos que designan no sólo las paradas y las medias paradas sino también las barriadas aledañas.

Los números, en apariencia arbitrarios, establecen una especie de código. Ser de la veinte no es lo mismo que ser de la quince o de la veinticinco. Tampoco es lo mismo vivir en la veintitrés abajo que en la veintitrés arriba. El abajo y el arriba los determinan las fronteras establecidas por las avenidas Fernández Juncos y Ponce de León. Jamás entenderá ese santo enredo quien no sea nacido y criado en Santurce.

Si la prueba de las paradas resulta fundamental, el *quizz* de los cines acabará de despejar las dudas. Pregúntele a cualquier inocente peatón los nombres de seis cines desaparecidos. El santurcino inequívoco los recitará de carretilla y hasta agregará unos cuantos difuntos a la lista: el Metropolitan, el Delicias, el Matienzo, el Music Hall, el Radio City, el Excelsior, el Paramount, el Cinerama, el Miramar, el Lorraine, el Efe, y pidan por esa boca. Hasta los más jóvenes se acordarán pues la memoria cangrejera no es asunto de edad. Se hereda con el ADN.

"Las estructuras emblemáticas" –como llaman ahora a esos bellísimos edificios candidatos a la implosión– podrían incluirse en el examen, así como los nombres originales de las calles que han sucumbido a un rebautizo obligado. Amén de los eternos recuerdos musicales y deportivos, entre los que se destacan la plena de César Concepción dedicada a Santurce y las pelas beisboleras a los Senadores de San Juan.

Todo santurcino que se respete tiene un olfato altamente cultivado, fruto de su crianza entre olores: el aroma del café Yaucono, que permea manzanas enteras desde su sede en la parada dieciocho; el tufo a mangle misturado con descargas sanitarias que remonta, cuando llueve, de las lagunas; y el aliento yodado del mar, que se pega como el salitre a la piel. El santurcino mudado a una de esas urbanizaciones inodoras y asépticas de la zona metropolitana padecerá toda la vida de aburrimiento nasal.

Habiendo concluido esta modesta aportación al mito inmortal de la santurcidad, no puedo pasar por alto un grave peligro que se cierne sobre mi patria chica. Me refiero al controvertible Proyecto de Revitalización, iniciado en 2003 por el gobierno estatal.

La remodelación urbana no puede hacerse a costa de la expulsión de los habitantes originales. En aras de la construcción de multipisos de lujo para los pudientes, los desalojos forzosos amenazan con borrar toda una historia de arraigo citadino.

La memoria ni se injerta ni se transplanta. Se destila a través de un larguísimo proceso de añejamiento. Los lazos de cariño que nos vinculan a nuestro entorno no nacen de la noche a la mañana. Son el producto de una lenta fusión de experiencias personales y colectivas.

Como los ponceños, tan enamorados de su hermosa ciudad, hoy pido respeto para mi amado Santurce.

Ante el destrozo y la insensibilidad, sobre esas ruinas entrañables que almacenan nuestros afectos, proclamo a voz en cuello con los vecinos combativos de San Mateo de Cangrejos: ¡Santurce no se vende!

EL NOMBRE DE MI CALLE

Cada año, con el prosaico pretexto de una visita obligada al Centro de Recaudación de Ingresos Municipales, alias CRIM, viajo al Santurce de mi infancia. Voy en guagua y me quedo en la parada 20, justo al lado del restaurante "La Borincana". Como cuando regresaba de la escuela con el bulto a cuestas y el vellón de los pilones con ajonjolí sudándome la mano, espero la luz verde para cruzar la avenida Fernández Juncos y bajar hasta mi calle.

Decir mi calle es mucho decir. Al segmento final, que va de la avenida Hipódromo hasta el Instituto Loaiza Cordero, le faltan casi todas las casas: la de doña Rita, la de Araminta, la de don Geño, la de las enfermeras y, por supuesto, la de mis padres, aquella sencilla estructura de madera con techo de cinc donde pasé mis primeros trece años.

Sólo dos han sobrevivido al exterminio y son fríos testigos del pasado. Su aspecto deslucido subraya, con una crueldad casi intencional, la desaparición de las demás. El solar que una vez ocupaba nuestro hogar es ahora un estacionamiento cercado por una verja de alambre. Vastas, generosas, inmensas en mi recuerdo, sus dimensiones lucen, bajo el sol, de una estrechez decepcionante.

Tampoco están ya los altísimos pinos que flanqueaban el muro del asilo de ciegos cuando la calle no tenía salida. Para colmo de agravios, el *Doctors Hospital* (ex Hospital Santa Ana), que miraba de frente a nuestro balcón, hoy da la espalda al estacionamiento infame. De la vieja fachada, no reconozco más que las ventanillas por las que espiábamos las autopsias. A algún espíritu de contradicción se le ocurrió invertir la entrada principal, situarla en la San Rafael, para desgracia de mi pobre calle Feria.

Sí, lo único que no ha cambiado es su nombre, plebeyo título de nobleza que homenajea a no sé cuál efemérides olvidada. Calle Feria: evoca relajo y diversión; huele a quioscos y machinas; rima bien con el de la Urbanización Hipódromo que la encuadra. Ante la destrucción que registran mis ojos, la permanencia de esa leve y tenaz huella de identidad me brinda un absurdo consuelo. Todo pasa y todo cambia, dice la canción. Todo, menos el nombre de mi calle.

Haber conservado su gracia original es un logro nada subestimable para cualquier calle que se respete. Algunas mudan de apellido, al capricho de los turnos políticos, cada tantos años. El rebautizo es casi siempre obra de algún asambleísta municipal ansioso por complacer a los parientes de un donante del partido.

El reemplazo cíclico de letreros complica el ya difícil trajinar de carteros, transeúntes y turistas desorientados. Cabe preguntarse si, finalmente, no serían preferibles los nombres comunes (calle del Sol, de la Luna, de la Tranquilidad) que, a falta de consenso épico, lograrían afianzar una toponimia tan precaria.

Como la gente, las ciudades se nutren de vivencias. A su geografía concreta corresponde una suma de geografías mentales. El Santurce de aquellos que –como mi familia en la década del sesenta– emprendieron el éxodo masivo hacia los suburbios, guarda un parecido espectral con el que hoy se apropian, desplazando y demoliendo vecindarios históricos, los grandes intereses inmobiliarios.

Y, sin embargo –como diría el terco Galileo– se mueve. Una ciudad es mucho más que una mole de cemento atravesada por postes, alambrados, tuberías y carros. Existe porque sus arquitectos la han soñado, sus carpinteros y albañiles la han levantado y sus habitantes la han escogido como sede del hogar y del trabajo. Existe porque los que se fueron y los que se quedaron, y hasta los recién llegados, le insuflan vida con su iniciativa y su imaginación. Existe, en fin, porque las sucesivas épocas, pasiones y transformaciones que la sacuden no logran impedir que los que la hacen suya sigan transmitiendo, íntegra y rebelde, la fuerza indestructible del recuerdo.

Con sus medallas de paz y sus cicatrices de guerra, con sus presencias y sus ausencias entrañables, mi calle Feria sigue allí, al pie de la extinta Cervecería Corona, en la frontera de la Urbanización Hipódromo con la barriada Figueroa. Quién sabe cuántos sinsabores, o cuántas bendiciones, le tenga en reserva la suerte. Quién sabe si algún día perderá su bello y viejo nombre para permanecer escondida, siempre igual a sí misma, en el refugio de mi memoria.

A RÍO PIEDRAS HERIDA

Hace tiempo que le debía una columna a mi ciudad adoptiva. Una explosión mortal en pleno Paseo de Diego me ha brindado la infausta ocasión de saldar esa deuda. Hoy que el horror y el dolor la han vestido de luto, le ofrezco este pequeño homenaje.

Llegué a Río Piedras a principios de los años setenta para mi estreno como profesora. La cercanía de la Universidad de Puerto Rico y una cierta nostalgia del vibrante Santurce de mi infancia fueron las razones que me motivaron a instalarme allí. Veinticinco años después, para sorpresa de amigos y parientes que nunca han dejado de recetarme una mudanza urgente, todavía permanezco en la Ciudad Universitaria.

Quien no haya experimentado la poesía de los centros urbanos jamás logrará comprender el porqué de esa decisión. De seguro, se vive mucho más tranquilamente en una de esas urbanizaciones militarizadas que hoy representan el ideal residencial de la clase media. ¿Qué tiene entonces de especial un casco deteriorado, hogar de estudiantes bohemios, inmigrantes pobres y profesores románticos?

Tiene, para empezar, casi tres siglos de historia, una historia que se remonta a la fundación, en 1714, de la primigenia Villa del Roble. Aunque el furor modernizante ha borrado innumerables hitos, las tercas huellas del pasado saludan al ojo alerta desde los rincones más inesperados.

En la calle Brumbaugh, frente a la escuela Hawthorne, aún están en pie las columnas que marcaban el límite norteño de la ciudad; en la Amalia Marín, las que vigilaban la entrada del Cementerio Municipal. La explanada con tarima de la plaza riopedrense fue una vez el florido Parque de Convalecencia, lugar de veraneo para gobernadores españoles y fuente de oxígeno para paseadores dominicales.

Con su vistoso techo a cuatro aguas, la casona de la calle Georgetti –la Musarañilandia de las tertulias literarias de Carmen Alicia Cadilla– continúa espiando a los jugadores de dómino que se dan cita por las noches frente a la Iglesia del Pilar. En la esquina del callejón del Tren, el edificio de la desaparecida Farmacia Modelo alberga hoy las oficinas del Centro de Acción Urbana de Río Piedras.

Apostado como guardián altivo a la entrada del callejón Borinquen, el cine *Paradise*, que en sus tiempos gloriosos auspició los apretones clandestinos de tantas parejas y los forcejeos públicos de tantos políticos, sigue esperando impaciente por su restauración. Un poco más lejos, en la curva ascendente de la Ponce de León, los restos de la antigua alcaldía municipal, con fecha de 1860, conservan el incómodo recuerdo de una autonomía perdida.

La arquitectura de Río Piedras ha padecido como pocas las agresiones de los traficantes en bienes raíces, quienes ven en sus amplias residencias una mina de oro para la explotación de inquilinos incautos. En una isla con futuro de gigantesco *mall* rodeado por urbanizaciones idénticas, el casco riopedrense es una reserva de belleza que reclama protección.

Todavía permanecen, para deleite del visitante, las coquetas casitas de Capetillo y los regios caserones de Santa Rita. Salpicados de pinceladas artísticas y coronados por enormes azoteas, los maltrechos edificios del centro sorprenden por su resistencia. La mirada atrevida que se arriesgue a escalar los rótulos chillones de las tiendas del Paseo de Diego descubrirá con asombro, en sus segundos pisos, las elegantes viviendas de la finada clase comerciante.

A pesar de la procesión infinita de automóviles que la atraviesa a diario, Río Piedras es eminentemente caminable. Su diseño, organizado alrededor de la plaza más larga de Puerto Rico, permite tanto el traslado eficaz como el paseo regodeado. Todos los servicios necesarios de la vida cotidiana –farmacias, bancos, comercios, mercados, restaurantes, transporte público, instituciones educativas y religiosas– se encuentran convenientemente al alcance. Como bendición suplementaria, contamos con la cercanía de los espléndidos parques de la Universidad de Puerto Rico y el Jardín Botánico.

Un casco urbano es, por su constitución misma, un espacio esencialmente democrático. Contrario a esos recintos exclusivos que subrayan y exacerban las diferencias entre los seres humanos, Río Piedras cumple una función casi abolida en otras partes. Su plaza, sus barrios, sus escuelas, sus librerías, sus hospedajes, sus cafeterías, sus iglesias y sus tiendas son puntos de encuentro, no sólo para los residentes, sino para la abigarrada multitud que circula por sus calles.

En ellas, se codean y relacionan gentes de múltiples orígenes y clases. Palestinos, dominicanos, chinos, cubanos, españoles, libaneses, haitianos y santomeños se mezclan con los boricuas provenientes de todos los puntos de la isla para darle a la ciudad ese carácter bullanguero, tan antillano.

Por encima de su sabor picante y dulzón, de la belleza añejada de su arquitectura y la generosidad de sus descampados, Río Piedras brilla, sobre todo, por la vitalidad de su gente. Frente a cualquier infortunio que le asigne el destino, la energía humana es la fuerza que la hará resurgir de sus cenizas y levantar cabeza con brío renovado.

Sostiene una leyenda pueblerina que quien prueba el agua de la quebrada Juan Méndez se queda en Río Piedras por el resto de sus días. Ignoro el fundamento de esa tradición. No conocí la época en que la juventud riopedrense iba a bañarse allí los domingos. Confieso, además, nunca haberme animado a probar el agua de esa verdosa corriente que, cruzando el barrio Capetillo, se arrastra tenaz hasta la laguna San José.

Pero sé que, de alguna manera misteriosa, el agua encantada de la quebrada Juan Méndez se me infiltró en el corazón. Quizás por eso es que sigo tan irremediablemente atada al destino de Río Piedras. Quizás por eso es que ella tan generosamente me adoptó.

BLUES DE SANTA RITA

Mucho me ha alegrado la designación de Miramar como zona histórica. Ya era hora de reconocer el valor de ese importante barrio santurcino, uno de los pocos en haber logrado mantener, contra viento y marea, su personalidad residencial.

Mi alegría no oculta la obligada pizca de melancolía. Resulta inevitable comparar la suerte halagüeña que le espera a Miramar con el presente cruel de otro barrio, igualmente cargado de historia y de riqueza arquitectónica.

Según don Florencio Sáez, Santa Rita fue el segundo ensanche moderno construido en Río Piedras durante las décadas del treinta y el cuarenta. La finca original, que una vez albergó al viejo cementerio municipal, perteneció a don Manuel González, un terrateniente asturiano. El riachuelo que la atravesaba –nombrado, por sus colindancias fúnebres, Quebrada de los Muertos– desapareció dentro de la tubería soterrada que le impuso el progreso.

La división de la finca en solares permitió la edificación de atractivas residencias para la clase profesional. Competir con el poder adquisitivo del vecino requería entonces levantar homenajes al buen gusto consagrado en el extranjero. Así, las tejas andaluzas del *Spanish Revival* californiano rivalizaban con la fantasía geométrica del *Art Déco* de Miami.

Para auspiciar los estudios universitarios de sus hijos, familias adineradas de todas partes se instalaron en el "Condado riopedrense". Sin salida vehicular directa a la Ponce de León, enchufada a esa avenida por tres callejones peatonales –el Borinquen, el del *Trolley* y el del Tren de Ubarri– Santa Rita disfrutaba, simultáneamente, de una céntrica localización y un prematuro "control de acceso".

Como suele suceder en los cuentos de hadas, los dueños de los palacetes santarritenses pasaron a mejor (o peor) vida. Las viudas reciclaron las habitaciones vacías, se amarraron los delantales y abrieron sus puertas a la invasión incontenible de los pupilos. Con el crecimiento de la Universidad de Puerto Rico, la otrora urbanización *chic* se convirtió en alborotoso cuartel de estudiantes.

La era de los hospedajes imprimió al estirado enclave una saludable dosis de picardía. De repente, la juventud se apoderó de las mansiones, tomó por asalto garajes y miradores e impuso su estilo de vida. Profesores y empleados debutantes también buscaban radicarse allí, diversificando con su presencia el vecindario.

La movida estudiantil de los sesenta y setenta se alimentó del clima de libertad detonado por la convergencia de muchachos y muchachas procedentes de toda la isla. Numerosos episodios de la épica antimilitarista universitaria tuvieron por escenario las calles de Santa Rita.

La irrupción masiva de los estudiantes coincidió con el fin de la autonomía municipal riopedrense y el éxodo o el deceso de muchos vecinos. Los herederos liquidaron su inestimable legado por el clásico plato de lentejas. Una nueva caterva de propietarios hizo su aparatosa entrada en escena: los inversionistas fantasmas.

Sin domicilio en Santa Rita, sin vínculos sentimentales con la comunidad y sin consideración alguna por su bienestar, la mayoría de estos lores del lucro se ha dedicado a la acumulación de capital a través del amontonamiento de inquilinos. Su obsesión mercantil multiplica hasta el absurdo el espacio disponible.

Así pues, so color de mejoras a la propiedad, proliferan la añadidura y el embeleco. Se perforan paredes, se colocan tabiques, se clausuran balcones, se subdividen cuartos, salas y comedores en minúsculos cubículos. Al son del taladro y el marrón, dignísimas casonas, perfectamente restaurables, son desfiguradas sin misericordia.

Los trabajadores inmigrantes también son presa fácil de estos negociantes. La necesidad los obliga a alquilar y subalquilar habitaciones en grandes grupos para poder reunir las sumas exorbitantes exigidas por sus ávidos caseros. Eso, desde luego, crea problemas de convivencia tales como el exceso de ruido y el manejo inadecuado de los desperdicios.

Hacinados, explotados y abandonados, estudiantes e inmigrantes tienen que malvivir en condiciones deplorables sin que alguien responda por tanto abuso. Sabido es que ciertos dueños violan los reglamentos oficiales y consiguen los permisos requeridos por medios poco ortodoxos. Su irresponsabilidad, patrocinada por funcionarios apáticos, incompetentes o corruptos que fomentan el caos crónico, acelera el ritmo del deterioro urbano.

Defendido por sus habitantes, apoyado por los poderosos, Miramar parece haber evitado la debacle. Mientras tanto, los residentes de Santa Rita nos aferramos con uñas y dientes a lo que resta de nuestro entrañable barrio, ahora amenazado por un peligro aún más temible: el de la demolición.

ESTACIÓN RÍO PIEDRAS

Estoy harta de la cantaleta refunfuñona sobre los defectos del tren. Las quejas, sospecho, no provienen de las filas de sus usuarios regulares. A fin de contrarrestar la mala onda que pretende agriarnos el viaje, consigno aquí mi humilde testimonio de pasajera satisfecha.

Antes que nada, una pequeña confesión. No poseo esa licencia sagrada, santo y seña que da acceso a todo privilegio ciudadano. Bajo un sol inclemente, sujeta a los vaivenes caprichosos de la Autoridad Metropolitana de Autobuses, deambulo estoica por las aceras invadidas de grietas, desechos y autos. Muy de vez en cuando, la prisa me obliga a incurrir en el placer prohibitivo de un taxi.

Desde la inauguración del tren, mi vida peatonal se ha visto radicalmente transformada. El tren está hecho a la medida para los habitantes del *downtown*, esas criaturas libres de adicciones automovilísticas, acostumbradas a ejercitar sin tregua la batata y la paciencia.

Sí, somos nosotros, los que nos quedamos cuando todo el mundo huía despavorido hacia el paraíso artificial de los suburbios. Hemos padecido largos años de calles destripadas, tormentas de polvo y conciertos de barreno. Al final del camino, el tren se presenta casi como una recompensa a nuestra abnegación.

Tengo la suerte extraordinaria de vivir a pasos de la estación Río Piedras. Con una boca que abre hacia la calle Robles y otra hacia la plaza de recreo, su conveniente ubicación resulta inmejorable para vecinos y visitantes del casco. El cauce subterráneo atraviesa la avenida Ponce de León reafirmando la vocación transportista que, desde los tiempos de las calesas y el *trolley*, signa la historia de la Ciudad Universitaria.

Para un peatón, la experiencia ferroviaria es esencialmente liberadora. Al conductor habitual le resultará difícil imaginar la dicha absoluta que representa un acto tan sencillo como el de caminar de la casa hasta el andén sin mayor preocupación que la de tener la moneda disponible o la tarjeta recargada. Con la confianza de un habitante de las grandes urbes, el transeúnte ingresa en el universo altamente funcional de la estación.

Las máquinas de la boletería son fáciles de operar y los empleados todavía serviciales. Con un rápido deslizamiento de tarjeta, se abre el sésamo del torno. Desde la entrada misma, cintillos luminosos anuncian en letras rojas el tiempo restante para la llegada del tren. El solo hecho de poder contar con la certeza del minuto exacto disuelve considerablemente la tensión acumulada. En un país plagado de impuntualidad genética, ése es uno de los logros más apreciables del sistema.

Al mérito de la precisión, se añade el de la belleza. La estación riopedrense es bastión de elegancia insospechada. Una vitrina lateral permite espiar el ajetreo de la calle Robles. Un tragaluz con vista al cielo alumbra el primer tramo de la escalera eléctrica. El entrepiso amplísimo ofrece un bienvenido descanso antes del descenso final hacia las vías. La bóveda metálica del túnel y los bancos de mármol negro hacen resaltar las losetas inmaculadas.

Asombra lo impecablemente limpio del entorno, no sólo en la estación sino también dentro de los vagones. Una mano de obra tan diligente debe estarnos costando ambos ojos de la cara. Amén del aire acondicionado, lujo supremo del que sólo disfrutan, por necesidad, las dos paradas soterradas. Me consuela pensar que se trata, esta vez, de dinero invertido en el bienestar ciudadano. La higiene y el fresco sirven de antídotos contra las toxinas del estrés. Eso ayuda a explicar el comportamiento tan civilizado que, hasta ahora, exhiben los pasajeros.

La descripción no estaría completa sin la mención de un componente fundamental. La seguridad, noción borrada de nuestra memoria reciente, vuelve a cobrar vigencia en el mundo ideal del tren. En todas las estaciones hay uno o más policías apostados. Empleados uniformados efectúan patrullas ocasionales para evitar que la gente rebase la línea negra del suicidio. La vigilancia excesiva, que en otras circunstancias irritaría al individuo celoso de su intimidad, crea las condiciones favorables para que la criatura más asustadiza se arriesgue a abandonar el *bunker* de su hogar.

Sin lugar a dudas, la ciudad que revelan las ventanas del tren no es la misma que se aprecia desde la calle. El tránsito del túnel a la vía elevada deslumbra por lo desconcertante. Contemplados desde lo alto, el conjunto de edificios, árboles y cuerpos de agua transfigurados por la luz conforma un horizonte novedoso. El paisaje se recompone constantemente, dándole al viaje su carácter de aventura virtual.

Por su armónica reconciliación de lo útil y lo hermoso, la estación riopedrense representa un triunfo de la estética urbana. Una verdadera vista de tarjeta postal es lo que nos reserva la salida que da a la iglesia del Pilar. La luz dorada que baña la plaza, los árboles de sombra que la guardan, el recio perfil de los edificios antiguos y la presencia cordial de una remozada casona con techo a cuatro aguas dan una emotiva bienvenida al pasajero recién surgido de las profundidades.

A pesar de los errores cometidos en su programación, el tren ha venido a contagiarnos de optimismo. Si lo apoyamos, si logramos mantener su encomiable nivel de eficiencia, si no nos traicionan las finanzas, la dejadez y el desgaste, su éxito podría sentar un modelo de excelencia para la implantación de otros proyectos indispensables.

¿Que nos ha salido caro? De acuerdo. ¿Que faltan rutas? Por supuesto. ¿Que aún no hay coordinación con las guaguas? Incontestable.

Pero hoy estoy celebratoria. Y, ante los muchos males que nos asedian, me reconforta pensar que, como el río que nombró a estas tierras, un tren cargado de oportunidades discurre, tan discreto, por las entrañas de mi vieja ciudad.

CRÍMENES URBANOS

Este fin de semana, visité escenas de crímenes. Crímenes sin sangre, debo decir, aunque tan violentos.

Me trasladé a Santurce en excelente compañía y por el camino real. Con las hileras de árboles esbeltos que flanquean sus aceras, la avenida Ponce de León lucía particularmente invitadora. Al llegar a la parada veintidós, justo antes del Centro de Bellas Artes, fue casi un sacrificio abandonarla para virar a la derecha.

La calle de Diego –capital de la futura "Zona MoBa" anunciada con bombos y platillos en los rocambolescos "mensajes de situación del país"– también solicita la mirada. El Museo de Arte de Puerto Rico le ha eleganteado su vieja estampa. De arteria bohemia y jaranera, ascendió a bulevar *chic*.

Quién diría que en sus alrededores, hace apenas unos años, se cometieron atrocidades.

Me refiero al crimen de la Antonsanti. Los duchos en materia de direcciones sabrán que esa calle –parte integral del amputado barrio San Mateo de Cangrejos– empieza en la de Diego, cruza la del Parque y muere en la Convento. Es relativamente larga, una rareza entre callejones de corto aliento. Fue alguna vez localidad acogedora, muestrario de arquitectura añeja, depósito de sueños y de afectos.

Desde la sastrería "Nueva era" hasta la esquina de la escuela Padre Rufo, la brutal demolición que siguió a la expropiación masiva de residencias se llevó la totalidad del primer tramo. Yo había seguido atentamente los detalles del proceso. Conocía la lucha desigual que libraron hasta el fin vecinos de mucho arraigo. Pero nada de eso me había preparado para el golpetazo que asesta a la sensibilidad la evidencia concreta del desastre.

Estar allí es adentrarse en un mundo fantasmal. Planchas de cinc intentan esconder los islotes dispersos de cemento que albergaron el pálpito de un barrio. La maleza ha invadido la ausencia. A un costado, una fosa enorme forrada de barro espera la nueva siembra citadina: los condominios costosos que reemplazarán al antiguo vecindario destrozado. Contemplada desde la azotea de un edificio cercano, la excavación desnuda cobra un cariz ominoso.

Tal vez porque la calle de mi infancia también se esfumó, caló muy hondo en mí la visión de aquella inmensa nada. Para recuperar el aliento, quise un cambio radical. Y así fue como atravesamos en silencio el ajetreo de la avenida Ashford rumbo al consuelo del mar.

En el puente Dos Hermanos, sin previo aviso ni cinta amarilla designando el perímetro, se nos apareció la escena de otro crimen.

El martirio de la calle Antonsanti me había sumido en la melancolía. Qué decir entonces de la agresión visual del ya notorio Paseo Caribe, mole sin gracia redentora montada casi sobre el oleaje. Con la desaparición de una considerable franja costera, el hacinamiento de estructuras invasivas y la consecuente postergación de esa leyenda hecha piedra que es el fortín San Jerónimo, sus constructores se las han arreglado para arrebatarnos el lujo democrático del paisaje.

El derecho al disfrute de la vista parecería un reclamo secundario si no estuviera tan ligado al balance emocional del individuo. Esas ruinas arrinconadas, literalmente empujadas hacia la bravura del océano, encarnan nada menos que la tenaz permanencia de nuestra historia. Prescindir de la silueta entrañable que, junto a la roca del perro, integra el cuadro de nuestras referencias familiares es relegar al olvido unas huellas que creíamos imborrables.

La gravedad del asunto no puede despacharse con nominales garantías de acceso ni pactos perdidosos. La desgracia del San Jerónimo tiene más de un culpable. Ciertamente merecen destaque la tragonería depredadora de los desarrolladores y el ávido servilismo de sus alcahuetes políticos. Pero resulta imposible pasar por alto la indiferencia general que ha tolerado el atropello.

Duele pensar que, en un país tan vulnerado como el nuestro, todo, absolutamente todo, sea negociable. So pretexto de densificación poblacional, de la noche a la mañana se desalojan habitantes y se erradican comunidades. Con la excusa de incentivar la economía deprimida, se bendice el saqueo del paisaje y la profanación de monumentos. La arrogante cantaleta del progreso a como dé lugar y la burlona devaluación del apego a las raíces fortalecen la impunidad de los criminales urbanos.

El futuro barrunta borrascoso. Si no logramos asegurar, para nosotros y para los que vienen, la belleza de la isla, la protección de sus vecindarios históricos y la sobrevivencia del patrimonio edificado, habremos devastado esta patria, traicionado a sus herederos y empobrecido nuestras vidas.

Resignarse a esa tétrica posibilidad es propiciar, por inercia, el holocausto de la memoria.

MIRADOR ÍNTIMO

ESA AMABLE CRUELDAD

Seguro que alguna vez usted ha sido víctima de una desagradabilísima manía. Ésta consiste en ofrecer, a la menor oportunidad, comentarios no solicitados sobre la apariencia física de los demás. Tanto me consta que usted ha padecido esos ingratos asaltos a boca armada como que los ha perpetrado con impunidad.

Los comentarios no son muy halagadores. Aunque varían en estilo, la brutalidad suele ser su atributo clave (*¡Nena, abre esa boqueta a comer que vas pa fleje!*). A veces, activan sin contemplaciones la alarma de la angustia (*¡Mijo, chequéate esa presión que estás cebao!*). En ocasiones, saben revestirse de una piadosa nostalgia (*Ave María, tan brillosito y tan espeso que tú tenías el pelo...*). Algunos hasta exhiben una maligna creatividad (*¡Muchacho, en esa panza se puede tocar acordeón!*).

Los políticos nos machacan, sabrá Dios con cuál torcido propósito, que somos un pueblo intrínsecamente generoso. Eso puede ser muy terapéutico para los complejos, pero trae sus complicaciones. Tan generosos somos que regalamos a manos llenas hasta lo que nadie quiere: nuestra opinión. ¿Por qué rayos hay que andar por ahí emitiendo juicios demoledores sobre el físico de cuanto infeliz tenga la mala pata de plantársenos delante? ¿Por qué nos resistimos tan tercamente a ejercer esa virtud arcaica llamada discreción?

Las cordiales agresiones que despachamos y consumimos todos los días, ¿no serán el lado oscuro de la generosidad? Preferiría creer que, en la mayoría de los casos, no encierran una verdadera intención egocida. Con frecuencia, se intercambian entre gente que, en principio, se estima y se distingue. Lo que no les impide noquearse mutuamente de un inesperado puñetazo verbal.

Son salidas irreflexivas, de una espontánea y amable crueldad. Cedo a los especialistas de la conducta humana el análisis de esa aparente contradicción. Me aventuro a pensar que se ataca para forzar el acceso a la intimidad ajena, para obtener derecho de ciudad. Nada de esto, por cierto, justifica la salpicadura incómoda de la mala leche y el resentimiento. El abuso de confianza deja un regusto agrio –cuando no un secreto apetito de revancha– en el paladar.

La impugnación de la imagen corporal puede resultar mucho más dolorosa que la de los atributos morales. Y es que hay en ella una injusticia suprema. Es la genética quien ordena nuestras células y esculpe nuestros rasgos. Los defectos de personalidad (acaso congénitos también) pueden corregirse o, al menos, modificarse. El físico, en cambio, no responde al gobierno de la voluntad. Por más afeites y ungüentos que se le prodiguen, salvo intervención del cirujano plástico, la materia prima que cargamos sobre el esqueleto será nuestro carné de identidad vitalicio.

El juego de las hostilidades impone extrañas reglas de cortesía: o se devuelve garbosamente la estocada o se adopta un aire de sobria (y falsa) inmunidad. Si nos agarran con la guardia floja, esas ofensivas cotidianas logran dar en el blanco exacto del alma. Las vivimos como atentados simbólicos, como crímenes de lesa amistad. Animales al fin, nos lamemos las heridas. Luego vendrá el paliativo de las rectificaciones imaginarias: todo lo que pudo, quiso o debió haberse contestado y –por diplomacia o cobardía– hubo que callar.

Mucho se ha filosofado sobre la relatividad de la belleza. Supongo que una coartada tan genial no puede habérsele ocurrido, ni por casualidad, a la clase bella. Si bien es evidente que la mirada condiciona el veredicto estético, no es menos cierto que cada sociedad convierte sus propios (o importados) criterios de hermosura en rígidas normas de evaluación. A ellas, nos afilia la crianza, nos adhiere la escuela y nos amarra la conformidad. Son esas pautas arbitrarias las que –operando desde la indemnidad de la inconsciencia– dictan el chiste socarrón y el comentario desmoralizante.

Aquellos que quiebren los moldes de la armonía oficial, aquellos cuyo perfil accidentado no se acomode a las exigencias del ideal estatuido, deberán atenerse al riesgo permanente de la mortificación. Los cortos de encantos, los pasados de peso, los pródigos en barros, los escasos de pelo, los sembrados de canas, los tallados de arrugas, los parcos de estatura, los pegados al hueso –entre tantos otros transgresores involuntarios de un decreto sin letra– serán castigados por la traición inocente de sus cuerpos.

No obstante, la vida sería de un aburrimiento aterrador sin las disparidades, discrepancias y desviaciones de nuestra siempre mutante humanidad. En lugar de demonizar las diferencias, habría que agradecerlas: conjuran la condena insoportable de la simetría, la fastidiosa dictadura de la perfección.

Esa amable crueldad que nos acecha detrás de una sonrisa no parece dar señas de amainar. Por el contrario, las tensiones de una convivencia cada vez más reñida propician un aumento de la hostilidad.

Mientras no despunte en el horizonte alguna novedosa terapia psicológica que nos libere de tales pulsiones, tendremos que atenernos a la sabiduría del consejo aquel: darle siete vueltas a la lengua alrededor de la boca antes de disparar esa frase letal.

UN SEGUNDO DE SILENCIO

Dicen que el escritor Marcel Proust odiaba con todas sus vísceras el ruido. Para armar los densos entramados de palabras que son sus novelas, no podía oír ni la sutil caída de un ínfimo alfiler sobre la alfombra.

Cuestión de asegurarse un silencio monacal, se trasladaba con frecuencia a un hotel alejado del revulú citadino. Allí, alquilaba nada menos que cinco cuartos: el suyo, uno a cada lado, uno encima y otro debajo. Sólo así lograba evitar los tormentos del estreñimiento literario.

Según un diccionario especializado en las peculiaridades de la mente humana, Proust padecía de sonofobia galopante. En su época, probablemente, ese término ni siquiera existía. Los empleados de aquel hotel le habrán puesto el sello de maniático. El dueño, por razones obvias, se habrá mostrado más comprensivo.

Lo cierto es que si al pobre don Marcel le hubiera tocado vivir en la era contemporánea, ni el hotel entero le hubiera bastado. Y si llega a residir en Puerto Rico, no hubiera parido un mísero párrafo.

Para cualquier sonófobo que se respete, nuestro país tiene que ser la capital del infierno (por aquello de disputarle la sede a la República Dominicana, que cojea de la misma pata). Todavía no se ha inventado el instrumento científico con capacidad suficiente para medir el nivel de ruido producido, consumido y tolerado por los puertorriqueños.

El campo más remoto, la pared más acolchonada, los audífonos más espesos no ofrecen protección que valga al tímpano castigado. En todas partes, a cualquier hora del día o de la noche, zumban los motores, graznan los altoparlantes y chillan las alarmas. Sin contar las marcas mundiales que, en materia de decibeles, establecen nuestras gargantas. En los países donde se valora la paz, a ese alboroto persistente se le llama contaminación acústica.

Los amantes del silencio, escasísimos en estas latitudes, sufren con estoicismo la obsesiva omnipresencia de la música. Oficinas, fábricas, restaurantes, cines, gimnasios, tiendas, escuelas, hospitales: no hay sitio a prueba de acordes invasores. Hasta los celulares se sienten obligados a emitir tonadas cada vez más largas. Sacudidas por el retumbar de los bajos, estremecidas por el estruendo de las bocinas, las vías públicas tampoco escapan al suplicio auditivo.

Sostener que la música puede alcanzar la categoría de ruido indeseable es exponerse a los rigores de la censura. Predicar el control sonoro en una sociedad tan dada al escándalo es peor que abogar por la soberanía en una colonia satisfecha. Es más, rogarle a alguien que baje un chin el volumen tumbacabezas del tocadiscos augura un serio riesgo a la seguridad personal. ¡Esto no es un convento, ni un cementerio!, ripostará tan franco como tan zafio el querellado. Los más radicales propondrán su solución justiciera: la mudanza del querellante.

Letra muerta y yerta, a ese respecto, son los famosos códigos de orden público municipales. La policía ignora, complaciente, las celebraciones estrepitosas. ¿Cómo se convierte en infracción lo que nadie considera defecto? Los adictos a la bullanga bien pueden baldear la casa o lavar el carro con el radio berreando a todo pulmón desde el balcón. Lo hacen con la absoluta certeza de que nadie vendrá a endilgarles la multa recetada.

Siempre habrá estudios para concluir con orgullo que somos un pueblo genéticamente musical. La verdad monda y lironda es que aquí se protege el derecho civil a la algarabía. Aquí, a fin de cuentas, la contaminación acústica pasa por premisa cultural.

Resulta fácil entender por qué algunos nostálgicos defensores de la tranquilidad perdida se gradúan de sonófobos a melófobos. La melofobia, según el diccionario consultado, no es otra cosa que la aversión a la música. De tanto haber tenido que escuchar canciones impuestas por el gusto ajeno, el individuo musicalmente hostigado desarrolla una aguda resistencia a toda expresión melódica.

Condenado al autoarresto domiciliario, tendrá que vivir emparedado entre vidrieras dobles y refrigerado por una unidad de aire acondicionado capaz de bloquear, con su propio rugido, el perenne jolgorio ambiental. Los vecinos lo tildarán de coprófago (véase el susodicho diccionario de peculiaridades psicológicas) y sus parientes se inquietarán, no sin cierta razón, por su salud mental.

No existe felicidad mayor que esas pequeñas treguas de calma implantadas por las averías en vecindarios donde nadie puede costearse una planta eléctrica. Sin vocación de emigrante ni acceso a los lujos de Monsieur Proust, no me queda más remedio que desear fervientemente, de cuando en cuando, un fortuito y fugitivo segundo de silencio.

¿DÓNDE ESTÁ YESENIA?

Una noche de abril, hace ya varios años, una muchacha llamó por teléfono a su madre para anunciarle que iba de camino a casa. Estoy bien cerca, voy a dar un brinquito donde la costurera y ya mismo caigo allá, diría con la alegría desbordante de sus veinticuatro años. Llamaba para tranquilizarla –o para tranquilizarse– mientras atravesaba, en su recién estrenado carrito japonés, ese tramo de carretera oscura que ciñe la costa caribeña entre Patillas y Guayama.

Fue la última llamada de Yesenia, la de su despedida. Sin sospechar que nunca volvería a verla, doña Cristina debe haberse levantado para apagar el televisor, dirigirse a la cocina y encender la estufa. Los gestos habituales de la domesticidad ocuparon sus manos y distrajeron sus pensamientos. Con el paso de las horas, el reloj se le alojó en el corazón.

La llamada marcó el principio de la angustia, una angustia que iría creciendo con los días hasta volverse certidumbre. Una batida intensa por los montes, campos y playas del sureste no logró dar con el cuerpo. Dos semanas después, apareció en Guavate el esqueleto del carro quemado.

Desde aquel día, doña Cristina no ha dejado de llorar. Esas lágrimas que no cesan, ese sollozo ahogado que le brota de la garganta, esa voz que se quiebra a la sola mención del nombre de su hija, son el recordatorio continuo de una tragedia sin final.

La historia de Yesenia Ortiz Acosta no es un episodio aislado en la madeja de turbulencias que atrapa a tantas parejas puertorriqueñas. A pesar del misterio que aún rodea las circunstancias de su desaparición, la biografía de esta joven madre se asemeja a la de cualquiera de las innumerables bajas del desamor que acaparan diariamente los titulares de los periódicos. Evadiendo la especificidad de un destino particularmente reservado al género femenino, el lenguaje de la sociología se refiere a la matanza de mujeres con el aséptico término de "violencia doméstica".

Los expertos en la materia señalan la existencia de un ciclo en la trayectoria de esos amores tempestuosos, sazonados sucesivamente a la miel y a la hiel. El viacrucis se inicia con un noviazgo errático y se extiende con un matrimonio accidentado. Las repetidas agresiones del hombre, su rabia explosiva, su obsesión de dominio, dan paso a reconciliaciones cada vez más precarias. Tras meses de vacilación, el divorcio, iniciado por la mujer, se convierte en pesadilla viviente.

El rechazado rehúsa reconocer su propia responsabilidad en el naufragio de la relación. Torturado por sus inseguridades, no logra aceptar una separación que encara como reto a su hombría. Fundados o infundados, los celos precipitan el crimen. La amenaza sigue a la súplica y el ataque al acecho. A veces, junto a la esposa, los hijos son sacrificados en el altar de la revancha. La secuela suele ser el suicidio del asesino, especie de rescate tardío de la dignidad.

Lejos de disminuir, la epidemia mortífera se ha recrudecido, llegando a tocar en días recientes los bajos fondos del horror. El asesinato de Daisy Berríos Torres en la víspera del nacimiento de su bebé, al igual que el de Carmen Maldonado Santana y sus cuatro hijos mientras dormían en sus camas, han sacudido al país. Hasta los policías, acostumbrados a presenciar las más sórdidas escenas criminales, expresan su turbación ante cuadros tan desgarradores.

Los asesinatos de Daisy y de Carmen, como el de Yesenia, corren el riesgo de quedar impunes. Consumado el delito, los culpables no fueron capaces de enfrentar las consecuencias de sus actos y se dieron cobardemente a la fuga. El silencio ha devorado la verdad. Sólo grita la sangre derramada.

Si el sufrimiento de los padres que padecen en carne viva la injusticia de esas muertes no puede ser siquiera imaginado, ¡cuánto más insoportable resultará el dolor de los que no han tenido el alivio de acompañar los restos mortales de sus hijas hasta la sepultura!

Hoy, como en aquella interminable noche de abril, la pregunta de una madre sigue sin respuesta. ¿Dónde está su niña? ¿En cuál tumba sin nombre la escondió el insensato que apagó su vida?

Todas las noches, asomada al balcón de los recuerdos, doña Cristina espera. Tarde en la madrugada, cuando por fin se rinde a la fatiga del desvelo, un sueño feliz le devuelve la sonrisa de su Yesenia.

Y, al verla caminar hacia ella con el vestido nuevo que nunca llegó a probarse, abre los brazos para salir a su encuentro sobre la arena tibia del mar de Patillas.

S.O.S. HOMBRES

El *Box Score* publicado por *El Nuevo Día* en su sección "Policía y tribunales" nos informa que la zafra mortal del 2003 se eleva, hasta el momento, a 693 asesinatos. El artículo que acompaña esa siniestra contabilidad ofrece un magro consuelo al lector: son veinte muertos menos que hasta la misma fecha el año anterior.

Me imagino el gozo que es capaz de provocar una cifra negativa tal en la sufrida psiquis de los recogedores de estadísticas. ¡Qué triunfo sin precedentes para la Ley y el Orden! ¡Qué prodigioso e inusitado adelanto! Borradas de un plumazo quedan aquellas 693 bajas contantes y sonantes. Lo central, lo fundamental, son esos veinte afortunados que, gracias a los eficaces programas de prevención implantados por el gobierno, lograron salvar el pellejo.

Acá, en la calle, nos mordemos la lengua para no aullar. Sabemos que los asesinos no planifican sus crímenes de acuerdo al calendario. Nos consta que todavía faltan veintisiete prometedores días con sus respectivas noches para darle mano y muñeca al despampanante *record* del 2002. Tenemos, ya se sabe, muy poco boyante el nivel de confianza en la veracidad de los censos oficiales.

Pero volvamos al *Box Score* del crimen. El artículo aludido revela que "al menos" dieciséis personas fueron asesinadas durante el fin de semana largo. Tamaña conmemoración del día de Acción de Gracias. Más allá del aspecto cuantitativo de la masacre, retuvo mi atención el hecho de que la inmensa mayoría de las víctimas, así como la de sus verdugos, pertenecían al sexo masculino.

No hay novedad en la observación. Aquí, como en todas partes, son los hombres los que a hierro matan. Pocas mujeres se atribuyen la suprema arrogancia de quitar la vida. Numerosas, por el contrario, son las que la pierden a manos de esposos, novios y amantes. Pero los hombres –esto tampoco es novedad– también a hierro mueren. Y, a juzgar por las gráficas del crimen, con mucha más frecuencia que las mujeres.

Imposible minimizar la magnitud de la violencia conyugal. A las luchas feministas les debemos un decidido avance en la denuncia y comprensión de ese mal endémico. Aunque los asesinatos de mujeres continúan multiplicándose vertiginosamente, las instituciones comienzan a organizarse a fin de de prevenirlos.

Las redes de solidaridad se ensanchan para asistir a las familias.

La agresión del hombre contra el hombre no cuenta con definiciones tan claras ni disposiciones tan precisas. Por su carácter simultáneo de víctima y victimario, el varón constituye un sujeto de análisis mucho más evasivo. No existe una procuraduría para lidiar con los asuntos que le atañen desde una perspectiva propiamente masculina.

Ahora es cuando entra el corillo de los caballeros ofendidos: Un momentito, por favor. ¿Qué es eso de una perspectiva propiamente masculina? Aunque no pasemos de ser una humilde minoría demográfica, nuestra egregia visión viril ni se limita, ni se particulariza. Somos universales, globales, hegemónicos. Así nos hizo Dios y el diablo nos bendijo.

He ahí, justamente, la clave del dilema. Los hombres no acaban de calibrar la enorme crisis que los aflige. Por haber pretendido representar al género humano durante tantos siglos, han renunciado a su especificidad.

Habría que estar totalmente desenchufado de la realidad para no percibir la enormidad del daño. Comparada con la de las mujeres, la crianza de los hombres es, en términos generales, un perfecto fracaso.

Mientras ellas son educadas para asumir deberes, resolver problemas y atender necesidades, ellos permanecen en una especie de limbo primitivo que desemboca, tarde o temprano, en la irresponsabilidad.

Uno de los modelos para armar del hombre puertorriqueño es el que alcanza la edad adulta sin haberse labrado su propia independencia. Maltratado o abandonado por padres y padrastros, mimado y sobreprotegido por madres y abuelas, arrojado sin destrezas prácticas ni estrategias afectivas a la vorágine callejera, deberá echarse un día sobre los hombros el peso abrumador de unas expectativas irreales. Por eso, quizás, es que sigue aferrado hasta la vejez a las faldetas de esas amazonas que ordenan su vida y –con el favor del cielo– sobreviven su muerte.

Al final de un año tan devastador en materia de vidas, lanzo un ferviente y esperanzado S.O.S. por nuestros compañeros de la especie. Civilizar a los hombres. Eso es lo que hace falta. Criarlos como mujeres hechas y derechas. Enseñarles a amar, a estudiar, a trabajar, a preocuparse por los demás y a ocuparse de ellos mismos.

Si el siglo veinte fue el de la liberación femenina, que el veintiuno sea el de la reconstrucción masculina. Sólo así podremos despedir alguna vez el año con un gigantesco cero en el *Box Score* del crimen.

HONOR AL HOMBRE TIERNO

Difícilmente habrá un agosto más cruel. Con la ciega brutalidad de un maremoto, la erupción de sangre inocente arropó al país. Thaycha, Natalie, Andrés, Jean Daniel: de golpe, los nombres armoniosos de cuatro niños mártires perturbaron la placidez puertorriqueña.

No es la primera vez que ocurren crímenes de tal naturaleza. Aquí, los delitos contra la niñez son casi tan frecuentes como los asesinatos de mujeres. Tampoco debe sorprender la culpabilidad de padres y padrastros. El ataque a los hijos parece ser la otra cara de esa rabia vengativa que algunos hombres despechados descargan sobre sus compañeras.

¿Por qué caló tan hondo el horror?

Lo primero que aprieta el corazón es la cortísima edad de los infantes. Entre los ocho meses y los cinco años estaban aquellas criaturas indefensas cuando los supuestos encargados de su bienestar atentaron contra sus vidas. Lo otro es el grado de salvajismo desplegado por los verdugos: violar, arrojar escalera abajo, lanzar contra la pared, disparar un tiro en la boca. La desconcertante frialdad con que fueron ejecutados esos actos eriza hasta la piel del alma.

Asusta, sobre todo, la rápida sucesión de unas agresiones tan virulentas en tan breve lapso de tiempo. De pronto, los que aparentaban ser brotes ocasionales de bestialidad dibujan un patrón alarmante. El móvil confesado por dos de los acusados colma la copa del espanto. Matar a un hijo por dudas sobre la propia paternidad equivale a destruir la posibilidad misma de convertirse en padre.

Nos preguntamos consternados de dónde habrá salido tanto monstruo. Nos resistimos a creer que puedan encarnar la pestilencia delatora de una sociedad disimuladamente putrefacta.

Dentro del malestar que han despertado esos casos, el de Jean Daniel Rolón Soto –el único sobreviviente de la masacre infantil– permite una mirada más esperanzadora. La prodigiosa recuperación del niño baleado por su padre ha propiciado un verdadero ritual de purificación.

Los medios nos han permitido asistir a cada etapa de su convalecencia. Lo vimos abrir los ojos, sonreír, incorporarse, jugar. Nos emocionamos cuando pudo caminar, con sus piernas flaquitas y su paso tambaleante. Nos encariñamos con él, y también con su familia: la abuela luchadora, la madre guardiana, el tío mimoso...

Por un irónico giro del destino, la historia de Jean Daniel ha provocado el estallido luminoso de la ternura masculina. Tras el desfile de los desgraciados que ocultan su rostro ante las cámaras, surgió un admirable cuarteto de valientes. Andrés Osorio y Marlon Vázquez, los dos policías que rescataron al niño del carro abandonado, lloraban a lágrima viva al recordar el momento en que lo hallaron atado a su sillín y desangrándose. No conformes con haberlo salvado, se personaron en el hospital a ofrecerle protección y afecto.

Igual muestra de sensibilidad dio el fiscal Marc Thys, quien, con los ojos humedecidos, expresaba la firme intención de hacer justicia para el pequeño. El tío Carlos Soto cargaba y besaba con dulzura contagiosa al sobrino consentido. Espontáneos, sinceros, sin poses ni protagonismos, estos hombres supieron brindarle a Jean Daniel el calor paternal que le faltaba.

Si agosto nos envenenó de crueldad, al menos tuvo la decencia de regalarnos el antídoto. Frente al macho que aniquila el fruto de su semilla, se alzó, en sublime compensación, la figura entrañable del hombre tierno.

Mientras reflexionaba sobre todo esto, me vino a la mente una extraordinaria película de Luc Jacquet. Se titula *La marcha de los pingüinos*. En ella, descubrimos el penoso ceremonial reproductivo de esas aves extraordinarias en el desierto ártico. Es quizás el único grupo animal cuyos machos y hembras se turnan –durante largas semanas, en total igualdad de sacrificio– para mantener resguardado del hielo, bajo sus vientres y sobre sus pies, el huevo que garantiza la descendencia.

En condiciones de tal adversidad, la abnegación recíproca de los padres y las madres pingüinos comprueba una vez más que nuestra humanidad, tan arrogante y tan débil, no es ni de lejos la especie superior del planeta.

EL JALEO DEL PERREO

El debate que se ha formado en torno al fenómeno del "perreo" ha vuelto a encender la bombilla fundida del entusiasmo nacional. Entre tanto escándalo público y tanta tragedia privada, a lo mejor nos estaba haciendo falta.

Por un breve y bienvenido instante, el limbo del olvido se ha tragado el tirijala del estatus, el pozo séptico de la corrupción y las respectivas macacoas de los partidos políticos. Perrear o no perrear: he ahí por fin un dilema de envergadura para rellenar el vacío emocional que nos dejan las farsas electorales y los circos plebiscitarios.

El término "perreo" no es de cuño reciente. Durante la década del sesenta, se aplicaba a aquellos boleros brilladores de hebillas cabalgados sobre el muslo aventurero del parejo. Tampoco se trata de una flamante invención coreográfica del Tercer Milenio. Desde épocas inmemoriales, nuestros bailes de salón y de orilla han sabido consagrar el protagonismo absoluto del trasero, ídolo indiscutible del erotismo antillano.

Desde los zafios esguinces nalgatorios de las célebres rumberas hasta los sosos amagos caderísticos de nuestras estrellas globalizadas, el remeneo sensual ha sido siempre una de las claves del danzar boricua. Asombra, por lo tanto, el furor moralista que han desatado las más recientes manifestaciones de esa tendencia ancestral. ¡Ni que hubieran regresado los tiempos del interdicto eclesiástico a los bembés de esclavos!

El alboroto por la creciente popularidad del reguetón –el género que ha oficializado el perreo– no se limita a sus movimientos. También se encuentran bajo fuego las imágenes de sus vídeos y las letras de sus canciones. No cabe duda: ni las unas ni las otras brillan por su ternura. Algunas son de una crudeza torpe y siniestra; otras, de un mal gusto ejemplar.

El mundillo que les sirve de inspiración es a menudo el de la narcodelincuencia. Los personajes –bichotes y gatilleros de embuste– viven la *dolce vita* entre un gallinero de chicas suculentas. Nada muy original, por cierto. Billetes, ropa, carros, vicios y sexo: los cinco jinetes del apocalipsis consumista; el evangelio de la felicidad según MTV; los sacrosantos ideales que blanquean, perfuman y glamorizan, para la pantalla chica, las agencias de publicidad.

El espejo combo que nos tienden estos mini-sainetes fílmicos se deleita en el reflejo de lo grotesco.

Por eso irritan y espantan. Absurda resultaría la expectativa de una visión beatífica de la existencia. La sociedad allí representada sume sus raíces parásitas en el estiércol de nuestras realidades. La calle es tan dura como la casa. Los enemigos más temibles de un niño pueden ser sus padres. La escuela es el purgatorio del aburrimiento. Las fantasías están a la venta en el punto más cercano.

A primera vista, los hombres parecen arrogarse el papel de héroes de la película. Hablan y manotean sin cesar, ponen cara de malos, y se agarran los testículos cada dos segundos. La pantomima insistente del guapo de barrio los reduce a la caricatura. Sólo les queda el simulacro de la autoridad, la retórica hueca del "fronteo". Bien mirado el asunto, terminan por adquirir un cierto aire patético.

Las mujeres se entregan sin pudor al frenesí del cuerpo. Ajenas a los aspavientos del macho de la especie, practican una especie de exhibicionismo autosuficiente. Mientras ellos rapean, ellas perrean. Si el hombre se predica en la palabra sin sentido, la mujer se declina en el gesto sin consecuencia. Pero uno nunca sabe para quién trabaja. La parodia inconsciente de la masculinidad y la femineidad sabotea, en alguna medida, la glorificación de los roles sexuales convencionales.

Gústenos o no, asústenos o no, la cultura del perreo empuja con rabia su áspera verdad contra lo que se percibe como un falso moralismo. La tentación de culpar a la juventud por los pecados de los adultos se hace cada vez más irresistible. Pero la pobreza, la desigualdad y la adicción no son invenciones de los jóvenes.

El desprestigio de las figuras de poder –padres, políticos, curas, maestros– ha fragilizado el sentido de comunidad. Los resentimientos se han enfurruñado y las soledades se han vuelto abismales. Abandonados a sus propios recursos, los muchachos buscan métodos alternos de comunicar sus obsesiones y obviar sus limitaciones.

El maltrato crónico embota la sensibilidad. La educación mediocre estrangula el criterio. Carencias tan profundas no se despacharán con cursitos para la enseñanza de "valores".

Por lo pronto, la censura está muy lejos de perfilarse como panacea universal. Se necesitan más y mejores vías de expresión artística. A pesar de sus evidentes dificultades éticas y estéticas, hay en estos vídeos energía vital y potencial creativo.

Ofrecer crítica constructiva no tiene por qué sonar a inquisición ni oler a paternalismo. Con el éxito explosivo del género y la progresiva exigencia del público, es muy probable que la calidad termine por imponerse.

En cuanto al contoneo impenitente del perreo, se recomienda a los adultos el ejercicio de la memoria. ¿Tan remotos están ya los años de la revolución hormonal que ni siquiera somos capaces de recordarlos?

UNA LANZA POR LOS ESCRITORES

A muchos les sorprenderá saber que la profesión literaria es una de las más explotadas. Y eso a pesar de la aureola mágica que la acompaña.

El contrato editorial, nueva versión del pacto mefistofélico, establece de entrada la injusticia. El escritor cederá los derechos de publicación de su obra a cambio del mísero diez por ciento (quince, en el mejor de los casos) del precio de venta del libro. Tras haber recobrado el monto de la inversión inicial, es el editor quien se guarda la inmensa mayoría de las ganancias.

El creador alcanza una escasísima participación en los réditos que genera su criatura; y eso, suponiendo que las regalías (hasta el término es irónico) lleguen efectivamente a parar a su bolsillo. Sabido es que en el mundo editorial abundan las excusas convenientes para no cumplir con ciertas obligaciones: que si la morosidad de los libreros, que si los ejemplares donados, que si los gastos de almacenaje, que si la desaceleración del mercado, que si el bajón internacional de la moneda... Y si uno no se ocupa de cobrarles, olvídese y cante un tango. Después de todo, usted no es más que el miserable autor.

Además de los editores, hay todo un ejército profesional que se nutre del quehacer literario. Agentes, distribuidores, libreros, impresores, críticos, antólogos, traductores, profesores, organizadores de congresos, cineastas y teatreros, entre otros, deben en alguna medida sus habichuelas a esos universos alternos que forja la labor solitaria del escritor.

No se me malentienda: todos esos servicios son tan legítimos como necesarios. Forman una útil red de difusión y promoción sin la cual sería prácticamente imposible mercadear un libro. Sin embargo, en el ejercicio exclusivo del interés propio, ese mismo sistema margina económicamente al escritor.

Y es que nuestra sociedad no reconoce al trabajo literario como una profesión formal. A pesar de su prestigio simbólico, el cultivo de la palabra ha ido gradualmente perdiendo el terreno que ocupan hoy la música y la imagen. La literatura tiende a verse como un pasatiempo cultural, una actividad de tipo honorífico en la que incurren estudiantes, maestros, bohemios y chiflados, sin olvidar a los abogados hastiados que, entre escrituras y *affidávits*, se permiten la terapia de un poema.

La hidalga idea de que el escritor debe ser un modelo de abnegación, alejado por vocación de la tiranía de lo material, ejerce su efecto pernicioso sobre las actitudes. ¿Cómo reconciliar la belleza etérea con la muy terrenal persecución del vil metal? Por amor al Arte, por satisfacción personal, por la difusión de la Cultura, por la mismísima Patria que sufre y padece es que, en todo momento y toda circunstancia, debe estostuzarse ese ángel de la renunciación. Lamentablemente, nada de eso sirve para pagar las facturas de fin de mes.

La doble moral que receta la austeridad para los escritores y el lucro para los demás no se circunscribe al valor comercial del texto escrito. Se aplica hasta a los supuestos "guisos", flaquísimos beneficios que bien merecen el calificativo de marginales. Pienso, por ejemplo, en la inmensa cantidad de foros, conferencias, entrevistas y otras presentaciones públicas que se nos solicitan campechanamente sin mención alguna de honorarios.

¿Que qué? ¿Cómo que una tarifa por hora? ¿Ustedes, sublimes Divos de la Pluma, hijos predilectos de las Musas, convertidos en vulgares capitalistas *esmayaos*? Los escritores bajan la cabeza, contritos, y producen ponencia tras ponencia, felices de que alguien se digne siquiera a escuchar sus geniales elucubraciones. Su labor esforzada y gratuita ayuda así a cimentar la reputación de quienes los invitan y a justificar los ascensos, tesis y sabáticas de quienes los estudian.

Puesto que se niega al oficio categoría laboral, no extraña el que nadie se lo tome muy en serio, empezando por los propios escritores. Algunos casi se excusan por atreverse a escribir. A cambio de la tan ansiada publicación, otros se resignan a ver sus derechos pisoteados. Dan gracias a los dioses del Olimpo por haberles ayudado a burlar el anomimato y suspiran con paciencia jobiana y el conformismo resumido en el refrán: del lobo, un pelo.

Sólo que a veces el lobo les sale calvo. Mientras el escritor se contenta con el inefable placer de ser leído y la precaria celebridad que, como una limosna de la suerte, cae ocasionalmente en su plato, las cuentas bancarias de los que sí conocen bien el valor mercantil del libro no dejan de engordar.

A ese cuadro de tribulaciones, se ha añadido, hace algún tiempo, la plaga de la piratería. De buenas a primeras, algún fulano se apropia –sin mediación de permisos ni pago de derechos– textos de autoría ajena. Ese tipo de robo silencioso es practicado hoy día hasta por casas editoras de sólido renombre internacional. Los textos pirateados se incluyen en antologías destinadas al consumo masivo dentro del universo escolar.

Los autores se enteran más tarde que temprano –o sencillamente ni se enteran– de que sus cuentos, ensayos y poemas han sido sigilosamente usurpados. Los piratas obtienen ingresos prodigiosos con la venta de esos libros ilegalmente constituidos. Los distribuidores y los libreros, a veces ignorantes del delito cometido a sabiendas por los editores, también devengan sumas apreciables. Son los escritores, los legítimos productores del material saqueado, las únicas víctimas de esa vergonzosa variedad libresca del crimen de cuello blanco.

Explotación, engaño, piratería, subestimación: todo eso lo he vivido en carne propia como lo han vivido tantos otros colegas. Algunos callan por temor a enajenarse el apoyo de un complejo engranaje que vampiriza su producción y lesiona su dignidad. Su inacción contribuye a la perpetuación del abuso. Su timidez los convierte en cómplices involuntarios.

El tiempo ha llegado de reconocer al libro como lo que es: no sólo un símbolo desencarnado que da gloria y brillo a la cultura nacional sino también un objeto concreto, con un valor económico preciso, insertado en un contexto social determinado.

Es hora ya de que los escritores empecemos a mirarnos a nosotros mismos como trabajadores y generadores de bienes en lugar de seguir consolándonos con aburridos cocteles de bombos mutuos y el sueño insulso de la inmortalidad.

BAILARINES

El arte no es otra cosa que la obstinada búsqueda de una perfección imposible. El artista entretiene, en delicado equilibrio, la audaz intención de conseguirla y la íntima sospecha de jamás alcanzarla. Cada nuevo intento es un verdadero salto al vacío. Ni la costumbre del éxito vacuna contra la eventualidad del fracaso.

Por eso, la vocación artística tomada en serio requiere de una fe y una tenacidad inquebrantables. Quien no se crea capaz de capturar la esquiva presa de la imaginación no tendrá el valor de aventurarse. Quien no ejerza la constancia del aliento y el celo de la exigencia se perderá por el camino.

Los bailarines ejemplarizan mejor que nadie esos atributos esenciales del artista. Estar de cuerpo presente, a medio vestir, en la soledad de un escenario, con el terror del traspié vuelto sudor y el foco del perseguidor empeñado en delatar la menor contracción de cada músculo, debe ser una experiencia sobrecogedora. Y todo eso, como si fuera poco, ante la mirada fija de los espectadores y el acecho inexorable de la crítica.

La conclusión superficial sería que nacieron para ello y, por lo tanto, que les sobra confianza. En realidad, lo que les sobra es disciplina y esa condición es la que sostiene su confianza. Los bailarines, como los músicos, comienzan su entrenamiento a muy temprana edad. Apenas han aprendido a caminar cuando ya están calzándose las zapatillas para arrimarse a la barra. Pocos son los profesionales de otras ramas del arte que pueden vanagloriarse de una preparación tan intensa y prolongada.

La formación es de un rigor casi militar. Al son de una rutina cotidiana que pudiera parecerle engorrosa al resto de los mortales, el aprendiz va desarrollando, con paciencia y tesón, las cuatro virtudes cardinales de la danza: gracia, fuerza, precisión y resistencia. La más mínima extensión de la pierna, la más insignificante apertura del brazo, el más modesto giro de la cabeza, todo lo que luego lucirá tan evidente sobre las tablas, representan infinitas sesiones de trabajo arduo y sostenido.

A la asiduidad forzosa de la profesión, se añaden el cultivo esmerado del oído, la observación, la conceptualización y la memoria. Para moverse coordinada y elegantemente en equipo al compás de la música, asimilando y recordando las complicadas secuencias de pasos que componen una pieza, se necesita una mente tan ágil como el cuerpo. La actividad del baile conjuga armoniosamente las capacidades corporales con las intelectuales, y más aún cuando el bailarín es también maestro y coreógrafo.

Sus proezas físicas lo emparentan con el atleta y el acróbata. Su don interpretativo y su sentido dramático le confieren la categoría de actor danzante. El placer del movimiento, la magia del gesto, quiebran el orden de las convenciones para despertar nuevas sensaciones y proponer nuevos significados. La danza inventa así un lenguaje simultáneamente concreto y abstracto.

El perfeccionismo de los bailarines no tiene igual en el mundo del arte. Cualquiera que los haya escuchado evaluarse al final de un espectáculo o escrutar, con detenimiento obsesivo, el vídeo de alguna función pasada, sabrá que no exagero. Su reclamo insaciable de correcciones es, sin duda, el fruto de esa intransigencia estética que el oficio ha imprimido en su conciencia.

La sacrificada entrega de estos artistas merecería un aprecio más entusiasta de los espectadores y un apoyo más resuelto por parte de empresas y gobiernos. Las condiciones laborales de los bailarines son extremadamente precarias. Su desempeño exige un enorme esfuerzo físico, una estricta higiene existencial, numerosas horas diarias de ensayo y la adopción obligada de tareas suplementarias para reforzar sus limitados ingresos. Con una profesión de alto riesgo, la mayoría carece de un plan de retiro y hasta de un seguro médico.

A pesar de los notables adelantos logrados en esa dirección, todavía en Puerto Rico no se puede hablar de una audiencia multitudinaria para la danza. Eso en nada abona a la sobrevivencia de los grupos y compañías que hacen complicados malabares económicos para poder presentar producciones de calidad. Se desconocen y se subestiman su difícil gestión organizativa y su incansable actividad creadora. Cuando se les contrata para funciones o anuncios comerciales, se les asignan honorarios ofensivamente bajos.

Aun así, los artistas de la levedad, los habitantes del aire, según el decir de Luis Rafael Sánchez, siguen retando la gravedad de la tierra. Sólo la injusticia del reloj biológico les hará colgar las zapatillas. Su arte siempre será mucho más que una carrera. Trasladarán a otros quehaceres de la vida la gracia y el rigor, la devoción a la belleza y la pasión de perfección que los caracterizan.

Por un instante de felicidad, abrazan la fragilidad de su destino. Su vuelo, breve y bello, lo aprendieron de esas mariposas bravías que avanzan de frente hacia la luz sin temor a quemarse las alas.

UN ARTÍCULO CONTRA NATURA

"Toda persona que sostuviere relaciones sexuales con una persona de su mismo sexo o cometiere el crimen contra natura con un ser humano será sancionada con pena de reclusión por un término fijo de diez años." Así reza el Artículo 103 del Código Penal, una de esas reliquias jurídicas que desafían todos los cánones de la sensatez universal.

Si no tuviera implicaciones tan serias ni consecuencias tan graves, el extracto citado sería de una comicidad irresistible. El arcaico futuro del subjuntivo le imparte un tono sermonero que realza su intrínseca ridiculez. La definición del delito bautizado "sodomía" –el "crimen contra natura" que ni el mismo diccionario se atreve a describir– más parece una profecía apocalíptica del Antiguo Testamento que un pronunciamiento legal aplicable a una sociedad contemporánea.

Lo absurdo no quita lo injusto. La criminalización de las relaciones entre personas del mismo sexo representa una amenaza permanente a las libertades de un sector de la población. Si la homosexualidad constituye una fechoría castigable por ley, entonces, para todos los efectos, quien la practica no es más que un proscrito, un delincuente, un vulgar malhechor. El estado oficializa así el escarnio, haciéndose cómplice de una persecución orquestada por el oscurantismo religioso desde tiempos inmemoriales.

Leído con detenimiento, el artículo en cuestión coloca en la mirilla de la ley no sólo a los homosexuales sino a cuanto fulano le salga del bolsillo cometer ese mentado "crimen contra natura" que el Código insiste en demonizar. Ensartados en el mismo pincho penal quedan pues, por obra y gracia de la sinrazón estatuida, la comunidad *gay* y la *straight*. Dadas las inclinaciones amatorias criollas, una redada sorpresa en los setenta y ocho municipios de la isla podría exacerbar la crisis de hacinamiento padecida por nuestro sistema correccional.

Pasma por lo severa la pena fija que corresponde a ese "delito contra la honestidad". Diez años a la sombra no son ninguna friolera. Se iguala el tiempo de reclusión impuesto a un homicida y se sobrepasa, por mucho, el que probablemente habrán de cumplir los bandidos de cuello blanco que desvalijan las arcas del pueblo.

Pero el asunto no se queda en el plano de la intimidación simbólica. Sus repercusiones van mucho más allá del vigilantismo genital. El artículo de marras sirve también de fundamento para la restricción y violación de otros derechos ciudadanos.

Así pues, un ex titular de Justicia prohibió a los fiscales someter cargos de violencia doméstica en casos de parejas del mismo sexo. ¡Como si las pasiones no mataran del otro lado de la verja! ¡Como si no fuéramos todos capaces de ponernos la venda de la víctima o el capuchón del victimario!

La vigencia de una medida tan represiva choca con la sensibilidad que nos imponen los tiempos. En una época de mayor respeto por los derechos de las minorías y de creciente tolerancia hacia las variantes de la sexualidad, el Artículo 103 luce totalmente anacrónico. Aunque se optase por no procesar a sus posibles infractores, la mera existencia formal de esa disposición seguiría siendo un insulto a las aspiraciones libertarias de la humanidad.

Los prejuicios moralistas que sustentan la discriminación inadmisible contra el ciudadano homosexual están predicados en la defensa de unas alegadas "buenas costumbres", excusa trasnochada de carácter burdamente arbitrario. Estamos hablando de la más personal de las libertades humanas: el derecho a la intimidad. Estigmatizar a un ciudadano en función de sus preferencias físicas no es otra cosa que legitimar y perpetuar el carpeteo sexual.

El término "contra natura" extendido a las prácticas eróticas es uno de los inventos más hipócritas que haya producido jamás el retorcimiento puritano. Contrario a la naturaleza es el asesinato. Contrario a la naturaleza es el maltrato a los niños. Contraria a la naturaleza es la destrucción del ambiente. Contrarios a la naturaleza son la guerra, el racismo y el colonialismo. En cualquiera de sus manifestaciones, la expresión carnal y consensual del amor celebra y dignifica la vida.

El Artículo 103 del Código Penal constituye, hoy día, no sólo una rémora histórica sino una vergüenza pública. ¿Qué esperamos para declararlo flagrantemente contra natura?

¡GOOD-BY, SODOMA!

El 27 de junio de 1969, a medianoche, una discoteca *gay* en Greenwich Village fue objeto de una redada policíaca. El sonado motín que se formó inauguró una década de militancia masiva por los derechos de los homosexuales. Durante el vigésimo aniversario del histórico suceso, el tramo de la calle Christopher donde una vez estuvo la célebre barra fue bautizado "Stonewall Place" por la ciudad de Nueva York.

El 26 de junio de 2003 –treinta y cuatro años después de Stonewall– el Tribunal Supremo de los Estados Unidos declaró inconstitucionales las leyes cavernícolas que, por décadas, criminalizaron las relaciones sexuales entre personas de un mismo sexo. Así comienza a escribirse un final feliz –por lo menos, desde el punto de vista legal– para la ardua gesta iniciada con la fundación de la *Society for Human Rights* en el Chicago de 1924.

En un gesto profundamente simbólico, los líderes *gays* de San Francisco arriaron la bandera del arcoiris que siempre ondea en la esquina de las calles Market y Castro. En su lugar, izaron la de las franjas y las estrellas. Por primera vez - declararon, emocionados - se sentían verdaderamente americanos.

John Lawrence y Tyron Garner –los protagonistas del caso que sacó a los homosexuales de su exilio para restituirlos al pleno de la sociedad– se han merecido con creces un sitial en los anales de las luchas civiles. Con la colaboración de un vecino, estos bravos montaron un *performance* erótico a fin de retar la llamada "ley de sodomía" nada menos que en el propio señorío del presidente Bush: el archimachista estado de Texas.

La representación teatral ha jugado un papel contundente en las lides defensivas de una comunidad forzada al clandestinaje. Basta evocar los carnavalescos desfiles del Orgullo *Gay*, en los que la provocación se vuelve arma de combate. Digna de recordación es, en ese respecto, la impactante participación del doctor John Fryer (recientemente fallecido) en el congreso de 1972 de la Asociación Psiquiátrica Americana.

Disfrazado, enmascarado, utilizando un micrófono que distorsionaba su voz y adoptando el seudónimo "Doctor H. Anónimo", el terapista dio testimonio público de su preferencia sexual para asombro y consternación de sus sesudos colegas. El debate subsiguiente culminó con una decisión radical: en 1973, la homosexualidad fue retirada de la lista oficial de enfermedades mentales.

El respeto a la diversidad –uno de los extraordinarios legados que nos dejaron las confrontaciones sociales de la segunda mitad del siglo veinte– pasa por la aceptación de la sexualidad humana en todas sus variantes. Hoy resulta embarazoso evocar la infame Era del *Closet*, aquellos tiempos malsanos e infelices marcados por la represión y la autocensura.

Absurda también luce ahora la época –no tan lejana– en que las mujeres se veían impedidas de votar en las elecciones. Las justificaciones que permitían esa aberración política eran casi idénticas a las que continúan esgrimiéndose contra la integración de los homosexuales. ¡Una amenaza a la unidad familiar, a la religión, a la moral, a los valores nacionales! Pero las sufragistas sabían que tenían razón. Y, en nombre de la razón, prevalecieron.

Lo mismo ocurrió con los afanes igualitarios de los afroamericanos. Todavía conmueve el recuerdo de aquellas marchas masivas lideradas por Martin Luther King al son de la inolvidable *We shall overcome*. Todavía enternecen las imágenes de aquellos niños negros asustados entrando en las escuelas de los blancos.

A veces, el reloj del cambio pierde impulso. A veces, avanza a un ritmo acelerado. Casi pisándole los talones a la legalización canadiense del matrimonio *gay*, la decisión del Tribunal Supremo de los Estados Unidos augura nuevas conquistas para un grupo injustamente marginado.

Más morosa que la de la historia parece ser la evolución de las mentalidades. Durante largos y angustiosos años, el hombre y la mujer homosexuales han tenido que vivir con los estigmas de la anormalidad y la delincuencia. Aun bajo la protección de la ley, no será fácil ponerle fin al rechazo y la burla que les deparan el prejuicio y la ignorancia.

Sodoma –la antigua ciudad palestina convertida en chivo expiatorio de la depravación global– se ha asociado casi exclusivamente con el llamado crimen "contra natura". Según la Biblia, Jehová la escarmentó por su pecado, devastándola a fuego y azufre. A falta de argumentos convincentes, el fundamentalismo religioso se ha parapetado en la leyenda para condenar toda divergencia de la norma sexual.

Los más recientes acontecimientos indican que la humanidad se aleja, a paso lento pero firme, de esa visión terrorífica y culpabilizante. Estamos por fin rompiendo con el mito de Sodoma. Y no hay por qué volver la cabeza para mirar atrás.

FELICIDADES, ELTON JOHN

El cantante inglés Elton John y su compañero, el cineasta canadiense David Furnish, acaban de inaugurar la nueva ley de uniones civiles aprobada por el Parlamento británico. En la ceremonia íntima, firmaron como testigos los padres de ambos. Afuera esperaban legiones de fanáticos para despedirlos con arroz y vítores.

En medio del conservadurismo que todavía prevalece en la mayor parte del mundo con respecto a los derechos de las parejas del mismo sexo, el pacto conyugal de estos dos hombres tiene un impacto político incontestable. Quien haya seguido la trayectoria artística y existencial de Elton John podrá comprender el alcance simbólico de ese acto.

Como artista, Elton ha logrado hazañas deslumbrantes. Con más de 220 millones de discos vendidos, se ha apuntado por lo menos un *hit* anual desde los setenta hasta el presente. A pesar de los sonados escándalos que han marcado su carrera, ha sabido mantenerse montado, con una tenacidad asombrosa, en el lomo cerrero de la popularidad.

A los once años, sus dotes de pianista precoz le ganan una beca para estudiar en la *Royal Academy of Music*. Al graduarse, se une a la banda *Bluesology* y deja atrás su seriote nombre de pila (Reginald Kenneth Dwight) para rebautizarse Elton Hercules John. Antes de brillar como cantante, ya se destacaba como compositor. Junto a su eterno letrista, el genial Bernie Taupin, creaba melodías para consumo de otros intérpretes. El 1970 le trae su debut en los Estados Unidos y el principio del estrellato global.

La reinvención constante de su persona escénica contribuye a la reválida de su éxito. Sorprende el contraste entre la extravagante teatralidad de su vestimenta y el clasicismo formal de sus composiciones. Hasta su físico de señor regordete y bonachón que toca piano resulta inesperado dentro del ambiente roquero. Por fortuna, un talento fuera de serie respalda el riesgo de la excentricidad. Su facilidad para componer y cantar en todos los géneros *–soul, country,* disco, *gospel, rock*, balada– le ha asegurado una vastísima audiencia por encima de los abismos generacionales.

Aún más espectaculares que sus conciertos, han resultado ser los avatares de su vida privada. En 1976, causó revuelo al declararse bisexual desde las páginas de la revista *Rolling Stone*. Sus adicciones al alcohol y la cocaína –más el suplicio de la bulimia– le acarrean complicaciones de salud y turbulencia emocional. El matrimonio *straight* que ensaya en 1984 se desintegra al cabo de cuatro años. De repente, en un drástico gesto de ruptura, subasta su vestuario y su colección de discos en el Madison Square Garden.

Tras un duro tratamiento de desintoxicación, establece la *Elton John Aids Foundation*, sostenida con sus propias regalías discográficas. Mientras tanto, doce años de convivencia junto a David Furnish consolidan la que ha probado ser su relación más duradera.

Con nuevos *hits* mundiales, un contrato para componer la partitura de un musical para Broadway y el triunfo sin precedentes de una canción dedicada a la Princesa Diana, Elton John remonta otra vez la cuesta de la fama. Es durante ese período de febril productividad que la Reina de Inglaterra concede al niño prodigio de Middlesex un título de nobleza honorario.

La azarosa biografía del artista contiene los ingredientes básicos para una épica de superación personal. Su ascenso hacia la consagración profesional, su combate victorioso contra los demonios de la adicción, la tentativa afirmación de su preferencia erótica y la evolución de su conciencia política le confieren resonancia universal. Celebridad aparte, el itinerario de

Elton John podría representar el de innumerables seres enfrascados en una lucha sin cuartel por encontrar su propia verdad.

Mucho ha llovido desde que Elton estrenaba el famoso lamento del hombre cohete: *I'm not the man they think I am at home/ Oh no, I'm a rocket man/ Rocket man burning out his fuse up here alone.* La sociedad británica, tan proverbialmente estirada, ha empeñado su palabra en el proceso irreversible de la democratización sexual. Con la conquista de los derechos que por siglos se le denegaron, el ciudadano *gay* accede, por fin, al plano de la igualdad.

Seguro que por minimizar el significado del rito nupcial de Elton y David, los profetas del desastre les vaticinan, desde ya, un divorcio igualmente publicitable. Pero ¿no se enfrenta cualquier pareja recién casada a esa angustiosa opción? Algunas relaciones aparentemente sólidas se fragilizan al oficializarse. Y, a fin de cuentas, ¿por qué pedirle a la unión homosexual una perpetuidad que no ha podido garantizar el matrimonio tradicional?

Mientras continúa aumentando el número de los países que abrazan el espíritu libre de la época, otros permanecen atascados entre la ignorancia y el miedo. La cruzada represiva del fundamentalismo religioso arrecia. Bajo la mano férrea del Papa Benedicto XVI, la iglesia católica ha llegado a definir la homosexualidad como "una inclinación desordenada" que conduce a "un mal moral intrínseco". Además de un obvio rezago en el campo del conocimiento, esa postura refleja una peligrosa regresión a los tiempos tenebrosos de la Inquisición.

La ocasión, sin embargo, no invita a la amargura. Propongo pues un brindis por la felicidad de la pareja y el advenimiento de la justicia para todos. Nada mejor para expresarlo que estas dos líneas sencillas de una canción de Elton John:

Everything crumbles sooner or later
But love, I believe in love.

RONDA DE VELORIOS

CEMENTERIOS

Entre los doce meses de nuestro calendario, noviembre es mi querendón. Refrescan los días. Oscurece temprano. El Atlántico se corona de marejadas. Con su formalísimo quinteto de conmemoraciones –santos, difuntos, armisticio, descubrimiento, acción de gracias– la penúltima treintena del año casi le escamotea a diciembre su solemnidad terminal.

El segundo día de mi mes favorito, vuelven a chirriar los portones mudos de los cementerios. La recatada trulla de los deudos deambula entre veredas invadidas de yerba, recogiendo basura, frotando manchas de moho, desempolvando lápidas para desagraviar a sus dueños. El régimen del hongo y el salitre queda temporalmente derrocado por las flores. En el brevísimo espacio de una visita, se adecenta la morada de aquellos que una vez compartieron el aire de los vivos.

Declaro aquí y ahora mi pasión tumbal. Y advierto que no es un vicio solitario. Me he topado con tumbólatras en cualquier parte del mundo. Son esa fauna rara que no espera hasta noviembre para frecuentar a los muertos. El idioma inglés, tan preciso para sus cosas, los denomina "taphophiles". En los Estados Unidos, hasta publicaciones y páginas de internet tienen. Se reúnen con regularidad para extasiarse ante los monumentos fúnebres y repetir a coro los epitafios buenos.

Dicen que, con las nobles excepciones de los elefantes, los delfines y las ballenas, el hombre es el único animal que posee la conciencia de su mortalidad. Para bien o para mal, también alberga en la piel la ilusión de la inmortalidad. Con el mismo afán que ha levantado palacios y catedrales, ha sabido erigir sarcófagos y mausoleos.

Cementerios majestuosos hay –como el bonaerense de La Recoleta o el parisino de Père Lachaise– donde los panteones de los ricos burlan sin pudor las intenciones de la Gran Igualadora. Las mansiones luctuosas ofrecen a la vista y a la reflexión un derroche marmóreo de símbolos –capullos deshojados, relojes de arena, ángeles encadenados, urnas entreabiertas– empeñados en subrayar, con material tan imperecedero, la transitoriedad de la existencia.

A la ostentación de las necrópolis aristocráticas se contrapone la desnudez de los cementerios militares. Presididas por idénticos ramos de flores, veladas sólo por el lánguido ondear de las banderas, las tumbas de los caídos honran, con su himno a la uniformidad, la tradición espartana de la vocación guerrera. Discreta alabanza la que acompaña el reposo de los sacrificados.

Particularmente apacibles y nada lujosos son algunos cementerios parroquianos ingleses. Sombreados por sauces llorones y atravesados por manantiales cantarinos, más parecen idílicos parques comunales que fríos campos de enterramiento. El escrúpulo protestante impone aquí su típica austeridad. Mucho verdor y poco boato acompañan a ricos y pobres en su descenso hacia la soledad definitiva.

Las urbanizaciones cerradas de la muerte han practicado todo tipo de *apartheid* contra los difuntos de segunda. Esclavos y judíos eran inhumados bien lejos de la última morada de los pudientes. En Roma, en un paraje encantador que responde al curioso nombre de Cementerio Acatólico, se enterraba a los que no profesaban la fe dominante.

Allí, entre arbustos y enredaderas, reposan dos magnos poetas: John Keats y Percy Shelley. Lord Byron, quien completa el trío de los grandes del romanticismo británico, esquivó la exclusión italiana por habérselas arreglado para morir en Grecia. Tras una vida licenciosa, recuperó su respetabilidad dentro de la linajuda cripta de sus antepasados en Hucknall Torkard, Inglaterra.

Confieso mi parcialidad por algunos cementerios puertorriqueños. El primero es el del Viejo San Juan, custodio señorial del sueño de los próceres. Le sucede en belleza el de Aguadilla, eternamente atento al destino de sus ataúdes cuando arrecia la marea. Aupado sobre la ciudad, con sus nichos alineados y sus sepulcros imponentes, el cementerio de Mayagüez exhibe un homenaje en blanco a la armonía simétrica.

Nuestros viejos camposantos municipales esconden una verdadera mina de sorpresas escultóricas, hallazgos históricos y curiosidades anecdóticas. Da grima ver cómo se condena al olvido la sede misma del culto a la memoria. El último reducto de la dignidad humana se despoja de toda mística para convertirse en miserable basurero.

El abandono de los predios funerarios delata una absurda voluntad de negación. A la incurable fobia de la fosa responde, sin duda, la creciente popularidad de las cremaciones. La manía higiénica que rige nuestras costumbres nos dificulta aceptar el sabio y eficaz proceso de descomposición dictado por la naturaleza.

Mientras tanto, los insectos se reproducen secretamente en los orificios prometedores de los cadáveres. De ese gesto inocente, se alimentarán otras especies. Es el impulso vital, que hurga como buitre entre la podredumbre para nutrirse de la savia abyecta.

Con su febril actividad subterránea, con su arte, sus mitos y sus rituales, un cementerio no es lúgubre asilo de la muerte. Es, ante todo, altar consagratorio de la vida.

MUER–TV

Se dice que los ritos mortuorios retratan a la sociedad que los practica. Judíos y musulmanes, por ejemplo, disponen de sus muertos con rapidez y simplicidad. En ambas religiones, deben ser enterrados antes de la puesta del sol o dentro de las veinticuatro horas subsiguientes al fallecimiento. Eso es así, tengo entendido, por consideración al decoro del finado y al pudor de la familia.

Otros pueblos prefieren posponer indefinidamente el sepelio. Velado por varios días, el difunto es objeto de dilatadas ceremonias que empiezan en el lecho y culminan en el cementerio. Supongo que la idea no es tanto reverenciarlo a él como consolar a los vivos. A fuerza de contemplar al ser querido inerte e irreconocible en su ataúd, a fuerza de llorar a coro y recibir las condolencias de los amigos, los deudos acaban por asimilar el hecho irreversible de la muerte.

Esa agotadora costumbre suele exacerbarse en el caso de una figura pública. Las exequias de los reyes de Francia duraban tanto que resultó necesario embalsamar los reales despojos en aras de la salud nasal. Los rusos y los chinos llegaron al extremo de poner en exhibición perpetua los restos embalsamados de sus líderes máximos. Ni hablar del tremendo zarandeo al que fue sometido, por admiradores y detractores, el frágil cuerpo de la Primera Dama *Assoluta* de Argentina, Eva Perón.

Los puertorriqueños también parecen albergar una marcada predilección por los duelos extendidos. En honor a la verdad, la propensión a estirar festejos y conmemoraciones no se limita a ese renglón. Por algo disfrutamos de la temporada navideña más larga del mundo: tres infinitos meses que cada año comienzan más temprano y terminan más tarde.

Últimamente, las pompas fúnebres reservadas a los famosos desafían toda noción de mesura. Para justificar la tendencia, hay quien apunta a nuestro carácter impenitentemente fiestero. Otros atribuyen a los medios de comunicación la responsabilidad principal de tales exageraciones. Lo cierto es que, durante por lo menos una semana, se nos somete a una megadosis de elegías melosas y pronunciamientos trillados que irritan y empalagan hasta al más aguantón.

El evento se inicia en el hospital con una solemne conferencia de prensa como antesala del deceso. Señoras y señores, el candidato a cadáver está a punto de caramelo, ya los médicos lo han deshauciado, ya emite su último estertor, ya el cura le administra los santos óleos... Los familiares se ven obligados a asegurar el flujo de información desde la cabecera del moribundo mientras se esfuerzan en mantener, para el lente, esas caras afligidas que los protegerán de las malas lenguas.

Luego viene el traslado a la funeraria, comienzo de un extenso peregrinaje con múltiples escalas: el Capitolio, el Ateneo, el Instituto de Cultura, el Colegio de Abogados, la Universidad de Puerto Rico, el Coliseo, el Morro y, si los dejan, hasta el Yunque. El trayecto hacia cada nuevo escenario es cubierto desde un helicóptero. Como libreto para noche de *Oscar*, se anuncia con fanfarria la llegada espectacular de políticos y otros robacámaras ansiosos por ganar indulgencias con escapulario ajeno.

Periodistas radiales y telerreporteros aprovechan la ocasión para entrevistar a la multitud de curiosos que se arrima al féretro a "decir el último adiós" a "quien en vida fuera". La pregunta es siempre la misma: Dígame, don Futriaco, ¿qué lo ha motivado a llegar hasta aquí? Montados en el potro de la improvisación, los noveleros repiten, uno tras otro, la misma respuesta.

Lo más exasperante del asunto es la idealización posmórtem. El homenajeado siempre fue un dechado de virtudes. Jamás rompió un plato, dijo una mala palabra, hizo un chiste sucio ni echó una cana al aire. Era un prócer, un maestro, un santo varón. Borrados quedan todos sus pecados, mortales y veniales. Y hay que taparle la boca a la memoria so pena de azuzar la indignación popular.

La onda parece haber llegado para quedarse. Aparte de aburrirnos a rabiar, la farandulización del luto agudiza la neura general. Aunque suene contradictorio, lo único que podría salvarnos de ese despliegue de cursilería que desvirtúa la realidad y desmerece el sentimiento sería la creación de un canal de televisión dedicado exclusivamente a transmitir funerales. Propongo que se llame MUER-TV y que funcione las veinticuatro horas corridas. Así, a velorio limpio, se saciaría de una vez la voracidad del morbo colectivo.

Entre tanto, querámoslo o no, seguiremos sentenciados a los especiales necrológicos. Señalará algún experto en comunicaciones la justicia poética de dar honras notorias a quienes de la notoriedad vivieron. Alegará algún tanatólogo que esos protocolos sirven para exorcizar miedos, descargar culpas y estrechar lazos comunitarios. Añadirá algún actor desempleado que al menos proveen una salida para nuestro innato instinto teatral.

Yo, por lo pronto, saludo a los judíos y a los musulmanes. Más vale confiarle el espectáculo a la vida y devolverle a la muerte su solitaria dignidad.

BRONSON VIVE

El 30 de agosto de 2003 murió Charles Bronson. De pulmonía, qué injusticia poética. Después de haber tiroteado con tanto gusto a tanta gente en la pantalla grande, la estrella más popular del cine violento tuvo una muerte totalmente ordinaria.

Falleció como cualquier fulano obediente de la ley y el orden, cómodamente tendido en una cama de hospital. Y a los ochenta y un años, dicho sea de paso, edad muy respetable, tomando en cuenta la esperanza de vida promedio del hombre americano.

El Sagrado Monstruo, como lo bautizaron los franceses en honor a su fealdad legendaria, protagonizó a sangre y fuego algunas cintas memorables. Ninguna tan impactante como *Death Wish*, aquella truculenta adaptación de la novela de Brian Garfield, dirigida por Michael Winner, que rompió *records* de taquilla en 1974.

La película cuenta la historia de Paul Kersey, un arquitecto neoyorquino, liberal y pacifista, que pierde a su esposa y su hija a manos de una pandilla de drogadictos. Golpeado por la soledad, Kersey hace un viaje de negocios a Tucson, Arizona, donde redescubre el código guerrero del Viejo Oeste. Cargando en su elegante estuche la pistola antigua que le regala un cliente, regresa a Nueva York transfigurado.

Con la venganza como única obsesión, el flamante vigilante se dedica a perseguir y eliminar a cuanto delincuente se le atraviesa en el camino. De la noche a la mañana, se convierte en el ídolo de las multitudes victimizadas. La policía aplaude con disimulo esas ejecuciones espontáneas que limpian la ciudad de sabandijas, bajan las cifras oficiales y aplacan la santa ira de los contribuyentes.

Además de ser considerado como un clásico del género de acción, *Death Wish* ha alcanzado el envidiable sitial de filme símbolo. Proponiendo un moralismo justiciero a lo Charlton Heston, ese *Western* urbano representó la respuesta conservadora a la ola criminal que inauguró la década de los setenta. Su glamorización de la pena capital so pretexto de autodefensa popular inspiró a imitadores silvestres como Bernard Goetz –el asesino del tren suburbano– y suscitó agrias polémicas.

Así como la celebrada *Fatal attraction* fue un balde de agua fría en plena revolución sexual, *Death Wish* fue un grito de guerra contra el liberalismo impotente. Si el cine de los sesenta había incurrido en la glorificación de héroes criminales tipo *Bonnie and Clyde*, la épica sombría de Paul Kersey encarnaba ahora la revancha de la clase media. El padre de familia retoma el poder perdido. El arquitecto ex-progre rediseña, a punta de pistola, el plano torcido de la sociedad.

Aunque no es fácil encontrarla en nuestras videotecas, convendría volver a ver la cinta con ojos contemporáneos. A mí, esta vez, no me pareció tan traumatizante. La virulencia de la televisión y los 520 asesinatos registrados en lo que va del año deben haberme inmunizado. Hasta pude apreciar una cierta ironía. Por momentos, me preguntaba si, en lugar de un sermón neofascista, no me estaban ofreciendo justamente lo contrario: una parodia gruesa de la mentalidad extremista.

Frente a las realidades actuales, esas escenas infernales presentadas hace más de treinta años lucen como una inofensiva iniciación de prepas universitarios. En Puerto Rico, no se sabe cuál se ha disparado más, si la criminalidad o la paranoia. Una inseguridad obsesiva encuadra la existencia. El terror, domesticado, ya forma parte del ambiente.

La rutina diaria ha incorporado gestos y costumbres aberrantes en otras latitudes. Practicamos un grado de encerramiento anormal hasta para un monje de clausura. Amurallamos vecindarios, barricamos calles, contratamos guardias para protegernos de los transeúntes. Nuestros hogares son *panic rooms* y nuestros automóviles tanques de guerra. Vivimos las veinticuatro horas en alerta escarlata.

El atrancamiento se extiende a los exteriores. Un país tropical no está hecho para permanecer adentro a la caída del sol. De noche, las aceras de la ciudad se vacían. El círculo mágico del centro comercial refrigerado y vigilado sustituye los espacios abiertos.

Manipuladas o no, las estadísticas del crimen dan fe de lo que algunos prefieren tildar de repunte cíclico. La tasa de asesinatos, asegura la prensa, es la segunda más alta en todas las jurisdicciones de los Estados Unidos. Sólo nos aventaja Washington D.C., tamaña distinción que casi nos califica para una competencia olímpica. Atrapada en el juego demagógico del autoritarismo y el laxismo –mano dura y mano monga policíacas– la gente se mueve entre los polos emocionales de la indiferencia y la desesperación.

Un peligro mayor que la propia criminalidad se perfila. El hambre de protección cede el paso a la sed de castigo. Los excesos de la psicología del miedo desembocan en una moral inevitablemente represiva. Ésta no se limita a la persecución de los criminales.

Desde lo social hasta lo sexual, pasando por lo político, la fiebre securitaria establece su dominio en todos los ámbitos. La desconfianza invade la intimidad para hacer de todo el mundo un sospechoso.

Bronson vive, muchachos. Nadie se equivoque. Sus ficciones mortíferas están más vigentes que nunca. El espíritu de Paul Kersey ronda inquieto por el mundo y quiere, a las malas, instalarse entre nosotros.

LOS ADELANTADOS DE LA MUERTE

A estas alturas, ya hemos perdido la cuenta de los cadáveres. Las bajas de la narcoguerra se suman sin pausa a las del frente hogareño. En realidad, no hay nada nuevo en el ambiente. Que yo sepa, el año pasado no brilló por su pacifismo. Si mal no recuerdo, tampoco el anterior.

Aun así, el suicidio de un hombre de sesenta y cuatro años en el altar mayor de una iglesia católica ha logrado agrietar nuestra complacencia. Y no es porque el acto de quitarse la vida resulte aquí tan excepcional. Más bien, refleja una constante estadística. Los archivos de la Policía contabilizan, en promedio, unos trescientos casos anuales.

Condenada por buen número de religiones, la oscura tentación del suicidio continúa ofreciendo su antídoto dudoso al sufrimiento. La fantasía lo vislumbra como trampa de escape al fastidio vital. Algunas sociedades lo han elevado al rango de alternativa digna ante una enfermedad catastrófica. Otras lo han declarado método de lucha política y ruta hacia la inmortalidad.

Sea cual fuere la razón invocada, el hecho siempre trastorna. Si bien la idea de ser víctima de un crimen pulsa el botón de alarma, la del suicidio produce un desgarramiento en la sensibilidad. El riesgo a la integridad física espolea el instinto de sobrevivencia, ése que nos hace fuertes para emprender la fuga o encarar el peligro. Por el contrario, el drama de la autodestrucción ajena despierta una conciencia aguda de nuestra propia vulnerabilidad.

El carácter intencional del acontecimiento postula interrogantes demasiado serias sobre la responsabilidad individual. Por menos que uno conozca a quien atenta contra sí mismo, la identificación acaba por imponerse. En un plano menos filosófico, el miedo nos agarra por las tripas y no quiere soltar.

Mientras escribo estas líneas, los fantasmas se revuelcan en mi mente. Pienso en aquel hospedaje de Santurce y en el joven que una noche se voló allí los sesos creyendo estar poseído por el demonio. La niña que era yo entonces cruzaba a la acera opuesta, camino a la escuela, para evitar pasar junto al lugar.

Otro vecino aprovechó la ausencia de su esposa para colgarse de una viga de la sala. El hombre había previsto un mecanismo de emergencia: un rifle cuyo gatillo hubiera podido activar con un cordón en caso de que le fallara la soga. Entré con los curiosos. La pulsión de muerte latía en cada rincón de aquel patíbulo improvisado. Un escalofrío me atravesó la espalda y, en defensa propia, me persigné.

El cerco se fue estrechando. Mi tercer suicida fue un alumno: un muchacho guapo, inteligente, simpático, el candidato más improbable de la clase. Una tarde, al llegar de la Universidad, soltó los libros, abrazó a su madre, se quitó los espejuelos y se lanzó por el balcón de un noveno piso. Poco tiempo después, lloré la muerte de una amiga muy querida, un ser alegre y cariñoso que se despidió de un tiro en la sien mientras su familia desayunaba en la cocina.

Si hay valor o cobardía en el ánimo de quien se suprime, no es cosa fácil de esclarecer. Ciertamente se requiere arrojo para empuñar el arma que todo lo termina. Ciertamente hace falta sangre fría para romper con las amarras terrenales y saltar hacia lo desconocido. Pero la decisión también delata un abandono, una deserción. Lo irreversible del suceso ahoga de culpas a los que se quedan y acrecienta la soledad.

Al separarse de la suerte común de los mortales, el que se adelanta a la muerte corta un nexo necesario. Su derrota es la del proyecto humano. Lo que se aleja con él es la posibilidad de hallarle un poco de sentido a este paso –accidentado, confuso y tan breve– por el mundo que nos tocó compartir.

En la penumbra tibia de una iglesia desierta, con la luz de los cirios votivos temblándole en la frente, un hombre dice adiós y nos advierte que vivir es, sobre todo, un ejercicio permanente de la voluntad.

EL PALO DE LOS EMBUSTES

Cuando Río Piedras era municipio –antes, mucho antes de su anexión amañada a San Juan– los muertos importantes del pueblo gozaban de un envidiable privilegio póstumo.

Tras la misa de réquiem obligada, con las campanas de la Iglesia del Pilar doblando a luto, el ataúd era llevado en hombros hasta la Carretera Central. En ruta hacia el camposanto, a pocos pasos del camino Guaracanal que conduce a la barriada Venezuela, el cortejo se detenía bajo la sombra generosa de un árbol de acacia. Entonces, se colocaba la caja sobre una mesita y se despedía al cargado con coronas de clisés y salvas de ditirambos.

Sus vicios y defectos relegados a un olvido voluntario, el difunto inspiraba, invariablemente, aleluyas y bienaventuranzas. Jamás había existido hombre más sabio y prudente, noble y virtuoso, culto y modesto, desprendido y moderado, sincero y leal. Por unos brevísimos instantes, las ristras de adjetivos lisonjeros soltadas por sus allegados casi bastaban para inscribir la perfección del desaparecido en el *Guinness Book of Records*.

Terminada la sesión de encomios, mientras el caballo pateaba el polvo impaciente y el cochero se atajaba los chorros de sudor con el pañuelo, el féretro era colocado en la carroza fúnebre y acompañado hasta la tumba. Así finalizaba el rito que dejaba a los cadáveres de los ricos con el ego más robusto que sus bien alimentados restos.

Aquel célebre árbol de acacia junto al que se lavaba y perfumaba la vida de los acaudalados se convirtió, con el tiempo, en otra baja del progreso. La malicia popular, especialista en ajustes de cuentas, lo inmortalizó con un apodo burlón: el palo de los embustes.

Ante el fantasma del palo de los embustes creí encontrarme yo cuando leí los partes de prensa relativos al fallecimiento del doctor Joaquín Balaguer. En ellos, un coro de políticos plañideros lloraba a moco tendido la "pérdida irreparable" del cacique vitalicio de la República Dominicana. Haciendo total abstracción de las múltiples fechorías atribuidas al caudillo por la historia, notas, entrevistas y editoriales se dedicaban a ensalzar sus facultades intelectuales, su longevidad ministerial y su alegada vocación democrática.

De repente, por obra y gracia de un paro cardíaco, el colaborador y sucesor de Trujillo ascendía al pedestal de prócer, término que hasta el momento se reservaba para figuras de pensamiento y obra libertarios. Sepultado en el panteón de la amnesia quedaba el recuerdo de su mano de hierro. Las páginas negras de su biografía –la masacre haitiana, el fraude electoral, la persecución de la disidencia, el muro de la infamia– habían sido convenientemente arrancadas.

Que las huestes de sus seguidores se mesaran los cabellos y se rasgaran las vestiduras ante su partida no tiene que por qué asombrar a nadie. Así sucede a veces con los protagonistas de épocas totalitarias y estilos patriarcales. Que los líderes de nuestro país impulsaran con sus elogios la transfiguración gloriosa de la eminencia gris en héroe latinoamericano me luce muchísimo más cuestionable. Preferiría pensar que hay desinformación, antes que cobardía u oportunismo, en esa reescritura del pasado.

Lo mejor que puede pasarle a un dictador es llegar a viejo. Si sobrevive a intentonas y venganzas, neutraliza a sus enemigos. Si se las arregla para alcanzar sin un rasguño una edad respetable, todo le será perdonado. Con el poder enmascarado de fragilidad, las conspiraciones vueltas alianzas y los crímenes transformados en deslices de eras pretéritas, el aspirante a semidiós puede preparar con calma y elegancia su eventual ingreso a la posteridad.

Lejos de constituir una convención trasnochada, el palo de los embustes sigue tan vigente hoy como cuando ofrecía su sombra florida a los peregrinos del cementerio de Río Piedras. Por alguna razón elusiva, tendemos a ocultar las fealdades de los elegidos de la fosa.

¿Será ese extraño pudor una manera solapada de conjurar la culpa? ¿Responderá más bien a los dictados engañosos del miedo? ¿Encerrará ese gesto cómplice la esperanza de que algún día se nos extienda, a nosotros también, esa última hipocresía?

Reducida a un despojo amortajado, la presencia que ayer amenazaba hoy mueve a lástima. Tal vez el fin de la vida sea una forma natural de justicia. Tal vez la muerte, aunque tardía, sea sentencia suficiente.

En el umbral del misterio mayor, la humanidad sobrecogida se refugia en el silencio.

LOS CRUCIFICADOS DE LA GUERRA

Tenía veintidós años, una esposa, dos hijas y el deseo ardiente de regresar a casa. La muerte le salió al paso a destiempo, un domingo de marzo, cuando estalló en pedazos el convoy de su última misión militar en Irak.

Sus restos llegaron a la Base Muñiz de Carolina en un avión alquilado por el Departamento de Defensa de los Estados Unidos de América. La comitiva militar saludó el ataúd tapado con la bandera de las cincuenta estrellas y lo escoltó hasta el coche fúnebre con destino a Naranjito.

Así termina la biografía de Jason Núñez Fernández. Así se repite la vieja historia de los crucificados de la guerra. Así regresa a atormentarnos la memoria de nuestra fragilidad.

Desde la imposición de la ciudadanía estadounidense a principios del siglo veinte, los puertorriqueños han servido de carne de cañón en cuanto conflicto bélico han iniciado los americanos. Primero por la ley de la fuerza y luego por las vías tortuosas del soborno, nuestros jóvenes han sido arrastrados, una y otra vez, al matadero.

Si bien es verdad que nadie escarmienta por cabeza ajena, resulta inconcebible que una escena tan frecuente y tan dolorosa no sirva de freno a futuros mártires. Sabemos lo irresistibles que suenan los cantos de sirena de los reclutadores. Prometiendo villas y castillas, entrampan la ilusión de estos muchachos. No cabe duda: la tentación mayor es para los pobres. Mientras menos pudiente el candidato, más atractivas las ofertas de sueldos, becas y otros "privilegios" que adornan la licencia para matar y morir.

Y a quién no le entran ganas de agarrar a cada uno de ellos por la camiseta, sacudirlo, mirarlo fijamente a los ojos y rasparle: Pero, chico, ¿no hay medios más decentes y menos peligrosos de buscarse el billete? ¿No hay otra forma de prosperar que no sea jugándose la vida? Entre risitas nerviosas, se dispara una respuesta posible: Es el ejército o el punto: como quiera, me la juego.

Y es lastimosamente cierto. La tasa de mortalidad diaria en nuestras calles compite, relativamente, con la del infierno en ruinas de Bagdad. Criada en el frente de batalla de las drogas, nuestra juventud se ha entrenado, desde la infancia, en la faena cruel de la sobrevivencia. Estadísticas chocantes demuestran que el asesinato es, en Puerto Rico, la principal causa de muerte para los hombres entre las edades de dieciocho y treinta y cinco años.

Más poderosa aún que la seducción del dinero es la que ejerce el culto a la virilidad guerrera. El encanto del riesgo desata remolinos de adrenalina en las venas. Ligado al poder que otorga el manejo de las armas, el heroísmo violento se presenta como cura para los desastres de la autoestima masculina. Tras la ostentación del uniforme militar, se oculta la voluntad de mostrarle al mundo las proezas admirables de la hombría verdadera. Es la misma lógica, prepotente y patética, que mueve al pichón de gatillero.

¿Habrá quien se apunte en las fuerzas armadas por puro idealismo? ¿Habrá todavía, a estas alturas, quien se trague el mito del combate americano por la democracia? Con la cantaleta de la común ciudadanía y la común defensa, la contradictoria encerrona política del puertorriqueño lo hace vulnerable a la prédica engañosa de la fidelidad debida. Que alguien pueda ofrendar su vida por los intereses mezquinos de un país que lleva más de cien años años negándole al suyo el derecho a autogobernarse es una conjetura tan absurda como trágica.

En uno de sus cuentos más conmovedores, el escritor José Luis González narra el regreso a la patria de los restos de Moncho Ramírez –soldado muerto en la guerra de Corea– dentro de una misteriosa caja de plomo. Entre gritos y lágrimas, la madre, doña Milla, suplica a los militares que le dejen ver el rostro de su hijo antes de enterrarlo. Pero órdenes son órdenes: la caja de plomo permanecerá cerrada.

Pensé en la desesperación de aquella mujer que clamaba en vano por un último beso a su criatura cuando vi el reportaje televisado del velorio de Jason Núñez Fernández. Esta madre, en cambio, no suplicó. Con la santa ira de la maternidad herida, doña Marlene arrancó la enseña ajena que cubría el ataúd. Y, con la única estrella de su propia bandera, arropó de ternura a su hijo asesinado.

MUERTO PERO DECENTE

Tan cómodamente se ha arranado la violencia entre nosotros que casi se ha vuelto pedestre la eventualidad de morir asesinado. Lo malo es que no basta con llevar una vida modosa y resguardada. La muerte por mano ajena –extraña o familiar– puede sorprendernos en cualquier sitio, desde la gasolinera o el cajero automático hasta el santuario de nuestra residencia. Cuesta admitir que, como promete el anuncio de la loto, a cualquiera le toca.

Para sentirnos menos indefensos ante la inclemencia del hombre, nos consolamos pensando que esas cosas sólo les ocurren a quienes viven al margen de la ley. Echamos el cerrojo y coreamos el falso credo de la seguridad: el que a hierro mata, a hierro muere. Hasta que un conductor bebido atropella a un amigo. Hasta que aquel vecino amable estrangula a su esposa. Hasta que una bala festiva de Año Viejo nos roza la sien.

Pese al alcance democrático del delito, la sospecha señala al ciudadano de extracción "dudosa". La presunción de culpabilidad recae, preferiblemente, sobre caseríos y barriadas. Las víctimas tampoco escapan a la severidad del juicio, sobre todo si no se han atenido a las normas de la conducta respetable. Andaba por la calle a las tantas de la madrugada. Vestía provocativamente. Frecuentaba gente rara. Choca lo tajante del veredicto: toda transgresión pide castigo.

A menudo, esas implicaciones contaminan de entrada el texto periodístico. Al infortunio del crimen se añade el agravio de la censura. Alusiones a la preferencia sexual, la vestimenta reveladora, el estado civil o las costumbres inusuales de la víctima van conformando la moraleja insidiosa que acompañará su biografía definitiva. La nota roja se convierte así en advertencia aleccionadora.

Los recientes asesinatos de cinco profesionales –tres médicos, un maestro y un profesor universitario– en circunstancias más bien nebulosas han suscitado comentarios y especulaciones. En realidad, ni todos los expertos forenses del mundo podrían decir con precisión lo que sucedió entre ellos y sus verdugos. Los datos aislados sugieren una trama sórdida de sexo y codicia. Sólo cobran forma y sentido dentro del relato que tejen juntos el prejuicio y la fantasía.

El criminal monopoliza la palabra. Como testigo presencial, se arroga el derecho a la versión única. Minimiza su responsabilidad usurpando el papel de la víctima.

Denuncia un atentado contra su hombría. Proclama su rotunda ortodoxia viril. Alega incumplimiento de obligaciones contractuales.

Y todo para legitimar su rabia vengadora.

Aprovechando sus quince minutos de infamia frente a los micrófonos, ventea los detalles de la cita sangrienta. Pone parlamentos en la boca que él mismo selló. Razones tiene para arrimar la brasa a su sardina. Han quedado al desnudo sus impulsos sin freno, sus carencias tapadas, su propia miseria existencial. La otra cara de esa historia está grabada en las pupilas vidriosas del muerto.

La policía co-escribe y co-produce el libreto para consumo de los medios. Comparte ángulos teóricos. Ofrece pormenores jugosos. Tampoco es parca en materia de opiniones. Con pasmosa indiscreción, un oficial declara creerle al imputado. Es que así operan los *gays*, apunta cándidamente. Poco le falta para condecorar al asesino.

Con su colección de piezas sueltas, la escena del crimen pretende rellenar los blancos. El póstumo allanamiento de morada exhibirá sin pudor la intimidad del finado. Forzados a revelar el universo doméstico de su dueño, los objetos cantan. Al descubierto quedarán gustos, ritos, fantasmas, obsesiones, todo cuanto se amaba, se soñaba, se callaba.

El asesinado no cuenta con abogados defensores. Nadie hablará por él. Nadie leerá su laudo. Vecinos benévolos rezarán por la salvación de su alma. Parientes abrumados se dedicarán a borrar los malos recuerdos. Amigos y colegas se impondrán un mutismo luctuoso. Ante la unanimidad del recelo, no será fácil mostrarse solidario.

Nadie entiende a cabalidad el fondo secreto de la mente. Nada autoriza nunca la profanación de la dignidad humana. En la guerra civil no declarada que asola al país, más vale que el caído haya sido un ciudadano sin tacha. Y aun así, cualquier desliz de última hora podría comprometer su epitafio.

Entonces, desde la fría soledad de la tumba, tendrá que reclamar, perforar la espesura del olvido para gritarle al jurado de los vivos: ¡Muerto, señores, sí, pero decente!

DESTELLOS FÚNEBRES

Pocos barrios hay en París más vitales que el de Montparnasse.

Su estación de trenes acoge a las oleadas de pasajeros que llegan del oeste y suroeste de Francia. Su renombrada torre, escalada por legiones de turistas, ofrece una perspectiva impagable de la ciudad. Cafés y restaurantes siempre abiertos auspician encuentros de amigos y tertulias de artistas. Un nutrido público noctámbulo patrocina teatros, cines y bares. A cualquier hora del día, los *sex shops* son frecuentados por una clientela ávida de sensaciones arriesgadas.

En medio de ese intenso trajín citadino, entre la calle de la Gaîté y el bulevar Raspail, se extienden diecinueve hectáreas sembradas de árboles y tumbas. La calle Émile Richard –única vía parisina sin habitantes vivos– corta en dos el pentágono irregular del cementerio.

Allí, junto a los antiguos del barrio, compite por el dominio del suelo un cúmulo estelar de muertos de abolengo. Políticos, militares, escritores, pintores, músicos y actores atraen a una multitud de curiosos que, armados de sus planos numerados, revolotean entre la piedra y el mármol en busca de nombres mágicos.

Como en todo vecindario de categoría, la presencia de celebridades convoca a otros residentes cotizados. Por eso pidieron ser enterrados en Montparnasse el poeta peruano César Vallejo y la escritora estadounidense Susan Sontag. La compañía es, ciertamente, exquisita.

No bien se franquea el portón principal, reciben al visitante en su sencillo panteón los ahora inseparables Jean-Paul Sartre y Simone de Beauvoir, aquella notoria pareja literaria que en vida jamás quiso compartir domicilio. Del otro lado de la caseta de guardia, la escritora Marguerite Duras cumple con sus funciones de portera letrada.

Más arriba, se topa uno con el padre de los Poetas Malditos, Charles Baudelaire, tristemente emparedado entre su odiado padrastro y su señora madre. Sobre una lápida desnuda de adornos, los admiradores colocan notitas pisadas con piedras. Los pequeños manuscritos desteñidos, alusivos a la obra de Baudelaire, provocan sonrisas de complicidad entre los conocedores de sus versos. "Charlie, soy yo, tu hipócrita lector", lee uno. "Maestro, aquí está su albatros", revela otro. Por suerte, entre los editores de alta cota que reposan en las divisiones colindantes, no se halla el malfamado Poulet-Malassis, de cuya mezquindad tanto se quejaba el poeta.

Atravesando la vereda Lenoir, poco antes del Genio del Sueño Eterno que vela sobre los dormidos desde la rotonda, se divisa la tumba de Julio Cortázar, acompañado en la inmortalidad por su compañera, Carol Dunlop. Aquí las notas evocan, sobre todo, a algún personaje o episodio de la novela *Rayuela*. "Maga, espérame aquí esta noche", dice una pegada con cinta adhesiva. Comentan los guardianes del cementerio que el narrador argentino es –por encima del presidente mexicano Porfirio Díaz– el más taquillero de los inquilinos latinoamericanos. Al cuentista Cortázar le habrá encantado saber que el maestro del género, Guy de Maupassant, es su vecino subterráneo.

Siendo Montparnasse un distrito teatral, no podían faltar los dramaturgos. Los capitanes del Absurdo –el rumano Eugène Ionesco y el irlandés Samuel Beckett– encabezan la delegación. Mientras ellos pasan la eternidad intercambiando bromas ácidas, sus piezas cobran vida, cada tanto, en las concurridas salas del barrio. En cuanto a los actores, tampoco están mal representados. Delphine Seyrig y Jean Poiré, luminarias del escenario francés, saludan desde abajo a sus espectadores póstumos. La más visitada es la americana Jean Seberg, cuyo suicidio espectacular le concedió, como a Marylin Monroe, el supremo título de Diva Posmórtem.

Criatura irreverente como pocas, el cantante y compositor francés Serge Gainsbourg debe gozar de lo lindo con los sugestivos homenajes que le tributan sus fanáticos: boletos de tren, botellas de vino, cigarrillos sin filtro y paquetes de preservativos. La acumulación de objetos de consumo sobre su lápida confirma lo evidente: los verdaderos depositarios del fervor popular no son los políticos sino los artistas. Y mientras más orilleros, mejor, que los bien comportados nunca crían leyenda. Si a Georges Brassens –primo hermano de Gainsbourg en materia de picardía– también lo hubieran enterrado en Montparnasse, a dúo hubiesen podido cantar, entre copas, *La balada de los cementerios* las noches de luna llena.

Aunque deslumbrante, la constelación de estrellas fúnebres que enciende el lugar no constituye su atractivo único. Algunos visitantes sin agenda idólatra discurren por los senderos arbolados, espiando efectos de luz, descifrando epitafios gastados, celebrando la súbita aparición de un mausoleo majestuoso. Otros se sientan a leer en los bancos, disfrutando del glorioso espectáculo que montan juntos la naturaleza y el arte. Fotógrafos, pintores y poetas, con sus instrumentos de trabajo a cuestas, recorren el silencio a la caza de inspiración.

La riqueza del patrimonio escultórico entrampa la mirada. En la cuarta división, una obra imponente estremece hasta los huesos. Es *La separación de la pareja*, originalmente destinada a los Jardines de Luxemburgo y exiliada a Montparnasse por su carácter alegadamente obsceno. Con los ojos tapados, un hombre desnudo llora desconsoladamente frente a una sepultura. Bajo la losa de piedra, el cadáver de su mujer, a punto de ser tragado por la fosa, esboza con la mano un débil gesto de despedida.

El golpe es fulminante. Tras el paseo amable por la campiña de las almas idas, irrumpe el recordatorio cruel de la irrevocabilidad de la muerte.

Hay quien alega que perturbar la paz de los sepulcros es empresa potencialmente peligrosa. Algún designio oculto podría nublar la excursión. Algún espíritu avieso podría pegarse al caminante.

A esto, responde con sabiduría Vincent de Langlade, actor reciclado en guía de cementerios: "La mayor ofensa que se le puede infligir a los muertos es el olvido."

ESPECTÁCULO DE VARIEDADES

RADIO CHÁCHARA

Escuchar de vez en cuando algún programa radial de ésos que se dedican a cucarles la lengua a los oyentes puede resultar la mar de divertido. Hacerlo diariamente podría llegar a afectar la salud mental.

En aras de la democracia oral, la radio ofrece un catálogo de quejas, burlas, acusaciones e insultos para amenizar el más latoso de los tapones de tránsito. Tan pronto como se anuncian los números del cuadro, se congestionan las líneas de ciudadanos ansiosos por despotricar.

Llaman desde las casas, desde los trabajos, desde las carreteras, por teléfono fijo, inalámbrico o celular. Sin pudor y sin piedad, rompen a pelar hasta la médula ósea a esa fauna exótica del gobierno que acapara titulares de periódicos y noticieros de televisión.

La descarga a través de las ondas radiales se convierte así en temible instrumento de revancha. Los excesos y deslices de los políticos provocan en la audiencia un ensañamiento virulento. Cunden la broma cruel y el rumor fabricado.

Sin ahorro de decibeles, se dispara a la cabeza y al corazón de los poderosos. Se les bautiza con apodos irreverentes. Se parodian sus voces. Se satirizan sus defectos. El golpe de gracia podría asestarlo, en el momento menos pensado, cualquier vecino, pariente, empleado o ex amante que se anime a sacarles al aire los trapos íntimos.

Razones no faltan para explicar tales desmanes. Con notables excepciones, la actual clase política puertorriqueña no brilla ni por su eficiencia ni por su probidad. La mucha avidez y la escasa diligencia, la clara afición al chanchullo y la creciente propensión al escándalo le aseguran el escarnio universal.

Lo increíble, después de todo, es que los radioescuchas se conformen con el fugaz placer del desahogo. Lo incomprensible, a fin de cuentas, es que sigan eligiendo, cuatrienio tras cuatrienio, a aquellos que con tanto gusto despellejarán después.

El vacilón inmisericorde de los oyentes no se limita, a las figuras públicas. Fanáticos partidistas prodigan rechiflas e injurias al grueso de los votantes de la oposición. En la guerra civil radial, ciertas características desventajosas son atribuidas sin remordimiento a todo simpatizante de ideas contrarias. La impresión negativa del oponente se concentra en supuestas carencias intelectuales o morales. Saltan al oído los estereotipos consagrados.

Los electores estadistas, por ejemplo, son percibidos como seres poco iluminados. De hecho, los chistes sobre gobernadores de esa afiliación siempre giran en torno a una alegada torpeza mental. Se asigna la misma insuficiencia de neuronas a legisladores y alcaldes, a menudo caricaturizados por su limitada capacidad expresiva o por su servilismo empedernido frente al modelo americano. La frecuente referencia a las "turbas republicanas" constituye una variante del tema.

Cierto es que las recientes condenas de numerosos funcionarios del Partido Nuevo Progresista por delitos de corrupción han modificado un tanto el diagnóstico. Muy faltos de luces no deben de andar cuando han sido capaces de fraguar tan complejos y exitosos esquemas de fraude. En el renglón gansería, no obstante, el Partido Popular Democrático parece ostentar el campeonato.

Sus detractores achacan a líderes y seguidores del PPD un mal de fondo incurable: el oportunismo pancista que les impide abrazar cualquier tipo de cambio. Según esa versión, la sempiterna indecisión que los caracteriza nace del terror a perder los beneficios adquiridos dentro del estatus colonial. De ahí la acusación de cobardía que se les extiende con bastante insistencia.

Pese a su inexperiencia en materia de victorias electorales, los independentistas han logrado ingresar en el folclore de las percepciones comunes. Anexionistas y autonomistas superan sus antipatías innatas para perpetuar juntos la visión de un separatismo iluso e impráctico.

A los defensores de la independencia no se les escatima inteligencia. Si acaso, se les reconoce un incómodo exceso de ella. La etiqueta favorita para singularizarlos es la de la locura. Desde el mullido encierro libreasociado, sólo un demente emprendería el salto al vacío que implica la soberanía.

Unas y otras imágenes entran a veces en conflicto. Por encima de banderías politiqueras, algunos gansos pasan por burros, algunos burros por locos y algunos locos por gansos. Es como para ponerle nueva letra a un viejo refrán: de burros, gansos y locos, todos tenemos un poco.

Además de proveer una válvula de escape para el resentimiento, el pendenciero mundo de la cháchara radial ha servido para impulsar el desarrollo de profesiones novedosas. La más notoria es la de los llamados "comunicadores", opinantes al servicio de los partidos cuya noble misión existencial tiene dos objetivos esenciales: la divinización fanática de su líder y la demonización sistemática del contrincante.

Los analistas diletantes integran otro grupo digno de mención. Con asombrosa agudeza y admirable capacidad de observación, estos ciudadanos anónimos proponen toda suerte de teorías en torno a la actualidad política, económica y social. Sus interpretaciones pueden resultar, en ocasiones, mucho más sensatas e interesantes que las que nos despachan solemnemente los propios politólogos oficiales de las estaciones.

Con sus micrófonos eternamente abiertos, Radio Cháchara recupera hoy el espacio perdido de las tertulias y las sobremesas. El gusto de la expresión espontánea no esconde su lado sombrío: la ejecución sumaria de reputaciones y el refuerzo machacón de los prejuicios.

EL CONTABLE JAPONÉS

Casi diariamente, las primeras planas de los periódicos nos apabullan con titulares tremendistas: **QUEBRADO EL GOBIERNO, EMBROLLADO EL PAÍS, EN LA PRÁNGANA LOS SETENTA Y OCHO MUNICIPIOS**. Uno quisiera pensar que mienten, que exageran, que sucumben a la tentación del sensacionalismo. Pero la frecuencia y la insistencia del mensaje terminan por convencer a uno.

Parece ser que por fin hemos llegado al fondo del barril.

Qué cosa, ah. Uno que pensaba que eso sólo podía pasarles a esas republiquetas latinoamericanas de embuste, ordeñadas a saciedad por dictadores corruptos y abandonadas a su hambre por las clases comientes. Pero... ¡y que aquí, mis rollizos compatriotas, en esta isla-símbolo de la prosperidad y el progreso, vitrina-contormenteras del Caribe huracanado, cornucopia desbordada de la generosidad imperial!

Por no tildarla de ficticia o al menos de artificial, me limitaré a opinar que esta crisis rebasa el entendimiento. Que alguien tenga la bondad de explicarme cómo, con un presupuesto envidia del Tercer Mundo y asombro del primero, un paisito de menos de cuatro mil millas cuadradas y cuatro millones de habitantes puede arreglárselas para endeudarse hasta las teleras y hundirse en la pelambre total en poco más de cincuenta años.

Que me lo aclaren, insisto, y con lujo de detalles. De otra manera, tendría que concluir que se trata de una genial conspiración de las "fuerzas inmovilistas" para boicotear la solución al dilema del estatus. La idea no es tan descabellada como suena. Estando en bancarrota, no podríamos aspirar a una independencia solvente ni mucho menos convertirnos en un estado federado boyante. Sólo la eternidad colonial nos daría el espacio necesario para saldar la deuda pública y cuadrar la chequera oficial.

En espera de la iluminación divina, he hecho mis propias averiguaciones. Me consta que una legión de sabios economistas y experimentados sociólogos ha analizado a saciedad las causas de la hecatombe. A pesar de sus disidencias irreconciliables, todos concuerdan en denunciar cuatro grandes males de raíz: el deporte de la evasión contributiva, la multiplicación del batatal político, la adicción galopante a los gastos alegres y la pillería gubernamental.

Los expertos difieren en cuanto a las estrategias para sacarnos del atolladero. Algunos apoyan un impuesto sobre las ventas, cuestión de atrapar a los adictos del consumo. Otros votan por un alza en las contribuciones sobre la propiedad. La mayoría castiga por pecados ajenos a la menguante clase trabajadora.

Ninguno ha sabido encontrar soluciones tan convincentes como las de mi contable, un simpático japonés que responde al sonoro nombre de Tojo Dido. Tojo lleva diez años residiendo en Puerto Rico, lo suficiente como para hacerse una idea de nuestros defectos y virtudes.

Según él, la evasión contributiva tiene su antecedente histórico en el cimarronaje; las batatas son la versión burocrática del compadrazgo; el gusto por el gasto exorbitante refleja el espíritu festivo del pueblo boricua; y el robo de dineros públicos data de los tiempos en que los corsarios atacaban los buques del tesoro español.

Ante rasgos culturales tan arraigados, Tojo se muestra más bien pesimista. Se ríe a mandíbula batiente de mis propuestas para incentivar con cruceros la radicación de planillas, bajar la edad del retiro a los cuarenta e implantar un impuesto de un dólar sobre las fiestas de cumpleaños. En su lugar, recomienda la aplicación de una de tres sencillas medidas:

l. Disolver sin contemplaciones el gobierno entero. Entregar el botín del Departamento de Hacienda y el del Centro de Recaudación de Impuestos Municipales a un Consejo de Organizaciones Comunitarias para que éstas diseñen y aprueben un presupuesto destinado a cubrir las necesidades más apremiantes.

2. Si, por alguna razón, no funcionara bien lo primero: eliminar el uso de la moneda e instaurar el trueque de favores como mecanismo de intercambio de bienes y servicios. Esto tiene el beneficio suplementario de remitirnos a la cultura taína, reforzando ese aspecto tan positivo de nuestros orígenes primigenios.

3. Como último recurso, alentar y gestionar una emigración en masa a la Florida y, aprovechando el auge del mercado de propiedades, alquilar la isla al mejor postor por un término de veinticinco años. Entre tanto, los americanos podrían preferir resolvernos a billetazo limpio el tranque económico, cuestión de evitar ese golpe mortal a su tambaleante equilibrio étnico.

Tojo, que fue anarquista en sus buenos tiempos y ahora se canta post-posmoderno, no esconde una marcada predilección por la primera idea: poner el erario público en manos de los grupos vecinales. Y menos mal, porque previamente se había entusiasmado con la posibilidad de contratar como administradores a los bichotes de los principales puntos de drogas, de mayor experiencia, según él, en el manejo de finanzas.

Aunque un tanto controvertibles, las sugerencias de Tojo Dido representan algo así como una luz al final del túnel. Sospecho que nos acordaremos de él cuando nos dupliquen las contribuciones y nos tripliquen las ya astronómicas tarifas de electricidad y agua. O cuando, para esquivar el pago del *sales tax* y el *city tax*, florezcan más que nunca la trampa y el contrabando.

Pero, en resumidas cuentas, ¿por qué tanta preocupación? Ya para entonces estará en camino el tsunami arrasador, y de ése no nos salvan ni el contable japonés ni el médico chino.

¡OH, GUAYNABO *CITY*!

Ahora que resurge la sempiterna batalla de los idiomas oficiales, nada mejor que un paseo dominical por el único pueblo de la isla que ha logrado superarla.

Sólo Guaynabo ha sabido darle su sentido más rotundo a ese ambiguo adverbio que reglamenta, en Puerto Rico, las conflictivas relaciones entre la lengua nativa y la importada. Allí, para pasmo del visitante apegado a la lógica, copulan "indistintamente", a la vista de todos, el español y el inglés.

No me refiero a la costumbre boricua de bautizar en la lengua de Bush a oficinas, empresas, tiendas, urbanizaciones y niños por aquello de impartirles un cierto *cachet* desesperado. Guaynabo *City* ha trascendido esa mezquina búsqueda privada de la exquisitez. Para darle cuerpo y alma al terco mito del bilingüismo criollo, la Ciudad de Conquistadores ha reinventado de plano su nomenclatura pública.

Doblemente épica resulta esta hazaña si se toman en cuenta los orígenes del municipio que alberga las ruinas fundadoras de Caparra. En tiempos de Juan Ponce de León, el otrora territorio del Cacique Mabó pasó a ser la primera capital de nuestro país. Quién sabe si lo que quiso el alcalde O'Neill fue simplemente vengarse de aquel imperio malvado que, a la trágala, impuso el español sobre el taíno al convertir a Buinabo en Guaynabo.

Para intentar comprender las complejas motivaciones de su Primer Ejecutivo, habría que penetrar en los anales borrascosos de la Ciudad de Cinco Estrellas. A fines del siglo diecinueve, Guaynabo vivió una angustiosa crisis de identidad. Debido a una cierta incompetencia fiscal, perdió por varias décadas su *standing* de municipio independiente. Sus dominios fueron repartidos entre Río Piedras y Bayamón y no fue hasta el 1912 que le fueron devueltos. Semejante humillación histórica tiene que haber sembrado hondos traumas en la accidentada psicología guaynabeña.

Loco de atar quedaría hoy don Cayetano de la Sarna –primer alcalde del Hogar de los Mets en el siglo dieciocho– si tuviera que montarse en el flamante *downtown train* para dar una vuelta por su antiguo señorío. Al avistar la patrulla de la Guaynabo *City Police* y descifrar, a duras penas, las placas en las esquinas de las calles, el pobre hubiera clamado por la devolución inmediata del premio Príncipe de Asturias, otorgado a Puerto Rico por su defensa del español en el año del Quinto Centenario.

Lo más desconcertante, créanme, no es el inglés. La aparición de la palabra *street* en los rótulos constituye una alteración más bien discreta de la toponimia urbana. Lo que asombra es el choque aparatoso de ese término con los egregios nombres que lo acompañan: Muñoz Rivera *street*, Barbosa *street*, Tapia y Rivera *street*, José Julián Acosta *street* y, sobre todo, de Diego *street*... Revolcándose de indignación debe estar en su tumba el bardo aguadillano.

Las pinceladas castizas del ayuntamiento, la iglesia de San Pedro Mártir y la remozada plaza de recreo contrastan casi anacrónicamente con el furor anglófono reinante. Más que un *Disneyworld* de la estadidad jíbara, el casco de Guaynabo sugiere una especie de *Jurassic Park* del Estado Libre Asociado.

No hay que ser mentalista para adivinar dónde están las raíces del embeleco guaynabeño. En un país en el que todo está siempre en juego –desde el estatus político hasta el nivel de las represas– la confusión es la especialidad de la casa. Lo único seguro e incontrovertible es el miedo a incomodar a los jefes de Washington.

En 1948, tras una intensa lucha por parte de los puertorriqueños, el español fue declarado lengua de la enseñanza pública. En 1991, se firmó la ley que lo establecía como idioma oficial del gobierno. Ante esas medidas contundentes, algunos han querido dar marcha atrás. Otros ni siquiera han sabido dar un paso al frente.

Con su ideal hecho trizas, los estadistas se aferran al inglés (goleta) como último símbolo de una americanidad imposible. Conscientes de su ambigüedad ideológica, los estadolibristas se dedican a los remiendos y los paños tibios. La histeria que produce en ambos bandos cualquier alusión al tema del idioma es sólo comparable al desbarajuste emocional masivo provocado por el terror a perder el pasaporte americano.

Entre debates trillados y propuestas timoratas, seguimos privados de un programa eficaz para la enseñanza de ambas lenguas. Es realmente absurdo –y vergonzoso– que, al cabo de doce años de escolaridad, los estudiantes no dominen a cabalidad ni la una ni la otra.

La politiquería ha desbancado al sentido común. También al sentido del ridículo. Guaynabo *City* es un ejemplo caricatural y, sobre todo, patético. Lo alucinante sería que se volviera un modelo.

En espera de alguna sabia intervención del destino, quizás valga más reírnos de nuestras payasadas que lamentarnos de nuestras deficiencias.

EL SALÓN DE LAS DOS VERDADES

Estamos, definitivamente, de regreso. Ni en la luz eléctrica creemos. La línea caliente de la esperanza no figura en nuestras páginas amarillas. Hay pánico de mística. Si la época fuera una novela y hubiera que ponerle título, habría que robarle a Honoré de Balzac sus *Ilusiones perdidas*.

Ante tal panorama, cualquiera se gradúa de cínico. Eso tiene sus ventajas. El cínico es el descreído por excelencia, aquel que, según la definición del dramaturgo irlandés Oscar Wilde, conoce el precio de todo y el valor de nada. Una mayoría de electores cínicos representaría una amenaza sin precedentes para los políticos. Con su credibilidad en jaque, tendrían que renovar, por obsoleto, su arsenal de mitos y manipulaciones.

El ejercicio del cinismo cívico no está exento de riesgos. Wilde dio dos veces en el clavo cuando descubrió que en el endurecido corazón del cínico se esconde un sentimental. Los políticos (cínicos *ex officio*) no lo ignoran. Se lo debe haber revelado alguna encuesta secreta. ¿Y si en la soledad de la caseta electoral nos hiciera temblar el pulso el aybendito congénito?

La ciudadanía cínica se enfrenta a otros escollos de orden psicológico. El superávit de desconfianza predispone a la abstención. La oferta nunca satisface las exigencias de la demanda. Todas las alternativas lucen (y probablemente son) pésimas. Por otro lado, las revoluciones tampoco tientan. El déficit de fe en la humanidad desemboca en una indiferencia a prueba de ideales.

Para evitar tales peligros, urge encontrar soluciones prácticas. Tras mucho cogitar, mi extenuado intelecto ha dado a luz una idea (que es más de lo que pueden acreditarse algunos legisladores al cabo de dos cuatrienios). Hela aquí, sin más preámbulos. Cuestión de establecer criterios objetivos para una selección informada, propongo administrarle a todo aspirante político una prueba de veracidad.

De antemano, descarto la del polígrafo. Hasta Pinocho la pasa con honores. Solicitarla muertos de la risa y apostar dinero a un resultado favorable es la principal diversión de algunos criminales enzorrados. Para eso están las páginas de internet que entrenan a uno en el control de la respiración, el tono de voz y el ritmo cardíaco. Tan poco confiable es el polígrafo que no lo admiten los tribunales.

En materia de embustología, la tecnología científica ha alcanzado adelantos notables. La Clínica Mayo perfecciona una cámara sensible al calor que registra cambios sutiles en los rostros de la gente cuando meten un solemne paquete. Sería conveniente separar una con tiempo para ponerla a buen uso durante la campaña primarista. Estoy segura de que los empleados públicos renunciarían gustosos a sus aumentos de sueldo a fin de asegurar los fondos para adquirirla.

Imagínense los buches de bilis y las subidas de presión que nos ahorraría la camarita esa. La imagen térmica captaría una serie de gestos reveladores, imperceptibles para la mirada más penetrante. El leve sonrojo en el entrecejo, el discreto temblor de comisuras y el rápido movimiento de pupilas que delatan al patrañero dejarían literalmente retratados a los que pretenden embarcarnos con promesas chuecas. La cancelación inmediata de mítines, debates y conferencias de prensa sería un beneficio marginal bastante apreciable.

Para garantizar la pureza del proceso, la cámara tendría que ser operada por un grupo de ciudadanos que, a su vez, hubiera pasado la prueba. Como corolario de los resultados, el sujeto exitoso podría enfrentarse a una máquina de resonancia magnética mientras se le invita a leer lentamente, en voz alta, el programa de su partido. La Universidad de Pennsylvania ha confirmado que el cerebro produce una onda de carga positiva registrable por un MRI cuando la boca emite una mentira.

Naturalmente, no habría que limitar al clan politiquero la aplicación de estos modernos métodos. De suma utilidad resultarían, por ejemplo, para distinguir a un médico, un ingeniero o un abogado *bona fide* de uno fatulo. Es más, ¿por qué no integrar la cámara y el MRI a los exámenes de todas las reválidas profesionales? Sin olvidar a los que los administran y corrigen…

La vida en democracia abunda en malos ratos y complicaciones. Los antiguos egipcios no se preocupaban tanto por la honestidad de su clase dirigente. Para empezar, no votaban, lo que ciertamente los libraba de culpas, vergüenzas y arrepentimientos tardíos. Y, para terminar, confiaban a los buenos oficios de los dioses ese enojoso asunto de la sinceridad.

Anubis, el dios con cara de chacal y cuerpo de hombre, acompañaba a los muertos ilustres en su tránsito al Más Allá. A través de un túnel oscuro, los guiaba hasta el Salón de las Dos Verdades, donde se celebraba la versión egipcia del Juicio Final. Allí, les arrancaba el corazón para colocarlo sobre el platillo de una balanza. En el otro platillo, depositaba una pluma de pájaro. Si el corazón pesaba más que la pluma, era porque estaba cargado de falsedades.

Cuando se nos agoten la tecnología y el cinismo, cuando nos fallen hasta la intuición y el sentido común, tal vez valga la pena atenerse a la sabiduría de los antiguos. A lo mejor, entre papiros y pirámides, logramos averiguar alguna fórmula útil para mantener constantes e ingrávidos esos corazoncitos traicioneros.

PLEBIENCUESTAS INC.

A escasos días de la votación que debe decidir el futuro político definitivo de Puerto Rico, hemos logrado acceso al más reciente sondeo realizado por la prestigiosa compañía Plebiencuestas Inc. Para los lectores en déficit de orientación, he aquí un adelanto de sus principales conclusiones:

1. ÉSTE NO ES EL MEJOR MOMENTO PARA CELEBRAR UN PLEBISCITO.

A juicio de los encuestados, el plebiscito merece ser aplazado hasta, por lo menos, las postrimerías del siglo veintiuno. Siete de cada diez adultos pensantes en este país opinan que, tras sólo siglo y pico de dominación americana y cuatro por parte de España, la consulta resulta a claras luces prematura. Es obvio que no ha transcurrido suficiente tiempo para que los puertorriqueños puedan evaluar, con la debida objetividad, las ventajas y desventajas del alegado estatus colonial.

2. CINCO COLUMNAS NO BASTAN PARA PRODUCIR UN VOTO INFORMADO.

¿A quién se le ocurre que las aspiraciones del electorado puedan encontrar su justa expresión en tan reducido número de alternativas? Las cinco columnas establecidas en la papeleta oficial del último plebiscito no dieron cabida a la deslumbrante diversidad ideológica del pueblo puertorriqueño. Para el próximo, habría que diseñar una nueva papeleta con un mínimo de diez, añadiéndose al menos cinco de nuevo cuño. A continuación, algunas de las propuestas más creativas:

COLUMNA 6: EL ESTADO LIBRE ASOCIADO CON VOTO PRESIDENCIAL Y SIN CONTRIBUCIONES FEDERALES:

Esta opción parece gozar de gran popularidad entre los *groupies* de nuestra presente fórmula de gobierno. La inefable emoción de poder votar por el presidente de los Estados Unidos de América y la no menos excitante posibilidad de una exención contributiva federal con carácter irrevocable son metas que podrían insuflar nuevos bríos a las divididas huestes estadolibristas. ¿Será ésta la tan esperada definición del "ELA culminado" que nunca llegaron a presentarnos?

COLUMNA 7: LA ESTADIDAD SUBTITULADA:

Para las masas puertorriqueñas, cuyo más caro sueño es la copulación terminal con la Gran Nación Americana, el acceso garantizado a subtítulos durante todo trámite administrativo (telefónico, cibernético o personal) con agencias federales pondría fin a la irreconciliable querella entre los partidarios de la cada vez más imposible Estadidad Jíbara y los del cada vez más inevitable *English Only*.

La subtitulación automática tendría que ser recíproca, para beneficio de puertorriqueños y americanos. Dicha medida traería una inusitada bonanza a traductores e interprétes y un merecido alivio a los maestros de español tras la seria amenaza que una vez representara para ellos el ya extinto plan de la "Criatura Bilingüe".

COLUMNA 8: LA LIBREASOCIACIÓN CON LIBRE SELECCIÓN:

Los defensores de la enigmática fórmula definida como "República Asociada" afirman querer alcanzar una auténtica relación de igualdad con los sobrinos del Tío Sam. El cuestionamiento de los electores no se hace esperar. ¿Por qué limitarse únicamente a los Estados Unidos? ¿No sería más democrático el poder seleccionar, entre todos los países del mundo, aquel con el que deseamos negociar un "pacto bilateral"?

Démosle cabeza al asunto. Los americanos se la pasan atacando e invadiendo países. Su pasatiempo favorito es derrocar y reconfigurar gobiernos. O sea que, en materia de "defensa común", con ellos llevamos las de perder. Tras los drásticos bajones que sufrieron hace poco la bolsa y el dólar, la confiabilidad de la "moneda común" tampoco es tan evidente.

Si en las de asociarnos estamos, lo que se necesita es un socio rico, estable, y sangriliviano, algo así como las naciones del bloque escandinavo. Sociedades mejor ordenadas, más felices y menos belicosas que ésas son difíciles de encontrar en el planeta. Un tratado de libreasociación con Suecia, por ejemplo, podría ser una verdadera "chulería", para emplear una expresión privilegiada por los entrevistados.

Los suecos gozan de prosperidad, atienden muy bien a sus viejos, tienen poca criminalidad, practican el amor libre, consideran exóticos a los mulatos y, lo mejor de todo, no se meten con nadie. Para colmo de bienandanzas, están convenientemente distantes de nuestras playas. A nada tendrían que venir que no fuera a perder la jinchera de esas noches eternas durante la temporada alta del turismo.

Conclusión: La opción "República asociada" no debe impedirnos hacernos los suecos si así lo juzgamos conveniente.

COLUMNA 9: ESTADIDAD O INDEPENDENCIA CON REVERSA AUTOMÁTICA

La fórmula de la estadidad, así como la de la independencia, son polos opuestos en la escala de las opciones plebiscitarias. Los cambios radicales que ambas implican podrían resultar profundamente inquietantes para el ciudadano común.

El mero hecho de tener que tomar una decisión tan largamente pospuesta ya de por sí produce un grado sumo de ansiedad en la frágil psiquis boricua. ¡Cuánto más graves no serían las consecuencias psicológicas de una decisión irreversible como la de hacernos un estado, independiente o federado!

Tomando en cuenta esas ineludibles realidades socio- políticas, la novena columna propone un remedio para subsanar todos los males en la coyuntura poco probable de un copo estadista o independentista. La reversa automática es el mecanismo genial que permitiría, tan pronto como surjan las primeras piedras en el camino, dar marcha atrás y refugiarse bajo el ala protectora del estatus actual.

¿Que sube el costo de vida? ¿Que aumentan los impuestos? ¿Que se van Sears y Walmart? ¿Que se agotan los fondos federales? Pues ya no hay que considerar el éxodo masivo o el *hara-kiri* de rigor. ¡A presionar el botón de la reversa automática y aquí no ha pasado nada!

COLUMNA 10: TODAS LAS ANTERIORES

Ésta fue la alternativa que contó con un respaldo mayoritario. La facultad de ejercer un voto completamente incluyente resultó ser una tentación irresistible para el electorado. El no tener que descartar ninguna de las opciones fue descrito como “un enorme alivio”, “la única vía de consenso” y “una genuina liberación”.

Pensándolo bien, un siglo más no es tanto... En lo que el hacha va y viene, Plebiencuestas Inc. sigue sondeando.

LA GRAN PELÍCULA PUERTORRIQUEÑA

Escritores y cineastas del país comparten una misma obsesión inconfesa. Aquellos anhelan escribir La Gran Novela Puertorriqueña; éstos suspiran por estrenar La Gran Película Puertorriqueña. Los escritores desde luego, tienen una pequeña ventaja: sólo necesitan pluma y papel para tirarse al ruedo. En cambio, los cineastas deben hipotecar vida y hacienda para probar suerte en la pantalla grande.

Se asegura que conseguir el tan ansiado financiamiento es más difícil que curar el déficit crónico del presupuesto gubernamental. Se rumora que a los señores inversionistas no les hacen mucha gracia las producciones de lengua, asunto y elenco "locales". Si no se rueda en inglés, no se globaliza la intriga, ni aparece alguna estrella de renombre internacional para redimir la embarazosa criollez del proyecto, habrá que sepultar el guión en la gaveta del olvido.

Así las cosas, me he propuesto colaborar con los amigos del celuloide en su incesante búsqueda de una idea lo suficientemente universal como para enamorar al más tiquismiquis de los inversionistas. Me he achicharrado las neuronas repasando posibilidades, pero ninguna me ha parecido tan prometedora como la de poner en cinta algún aspecto de la biografía de nuestro nunca bien ponderado ex Gobernador. Me refiero, por supuesto, al benemérito Doctor Rosselló.

Antes de condenarme a la hoguera por haber osado proferir tal blasfemia, permítanme exponer mis razones. Lo que me motivó fue aquel anuncio de campaña en el que aparece, muy galán de cierta edad, yogueando en *shorts* y camiseta a lo largo y a lo ancho de sus monumentos faraónicos. Ésa misma –me dije– podría ser la primera escena de una épica atlético-política por el estilo de *Rocky*, el film de Sylvester Stallone que tanto entusiasmaba al buen Doctor.

La película sería una superproducción de por lo menos tres horas. La primera parte se regodearía en las hazañas juveniles del susodicho: estudios médicos, trofeos tenísticos, fama quirúrgica, triunfo político. Pero, en contraste con la historia del joven boxeador cuyos esfuerzos se ven coronados por el éxito, la segunda parte trazaría su caída libre desde la era gloriosa de los supertumbes hasta las fatídicas elecciones del 2004.

La clave estaría en la óptica escogida para contar los avatares de esa existencia azarosa, óptica que muy bien podría girar hacia la sátira o hacia la tragedia. En el primer caso, la mirada burlona del director sometería a los rigores del sarcasmo la ambición, la arrogancia y la terquedad del protagonista. En el segundo, un fino observador de la complejidad humana sabría hurgar entre las grietas de esa personalidad enigmática para descubrir las causas ocultas del descalabro.

Si Mel Gibson no se nos hubiera adelantado, la obsesión mesiánica del ex Gobe tendría, sin duda, un enorme potencial cinematográfico. Hay anécdotas memorables que gritan por una cámara: su oportuna conversión a la fe de la Pastora Rolón al ritmo de la salsa *gospel* y el reguetón sacro, su bautismo en algún *jacuzzi* bíblico, su crucifixión electoral y sus fallidos intentos de resurrección durante el recuento de votos... De todo para crear un *blockbuster* de Semana Santa.

¿Habrá temas más clásicos que la tentación de la riqueza y la sed de poder? Quien guste de las películas de *gangsters*, tipo *Godfather*, hallará inspiración a granel en la saga rossellista para forjar su obra maestra. Excitantes aventuras de pillos y policías. Traiciones y venganzas con lujo de moraleja. Dramáticos ascensos de oscuros personajes de la miseria a la opulencia. Abismales descensos de esos mismos personajes del palacio a la celda. ¿Y qué tal una versión tropical de *El Príncipe* de Maquiavelo? El fin justifica el chanchullo.

La ciencia-ficción también ofrece alternativas fecundas. El científico enloquecido por sus experimentos (*Doctor Jekyll*) o destruido por las criaturas de su creación (*Frankenstein*) es, ciertamente, uno de los personajes arquetípicos de esas historias que transgreden las leyes de la normalidad y las fronteras de lo racional. Un protagonista médico facilitaría la puesta en escena de toda clase de teorías delirantes (el empeño de convertirnos en clones de los americanos, por ejemplo) con sus consecuentes aberraciones y catástrofes.

Tampoco hay que subestimar el género del horror. La adicción a la victoria y su corolario lógico, la imposibilidad de aceptar una derrota, recuerdan la famosa serie de Sean Cunningham, *Friday the Thirteenth*, con sus siete secuelas escalofriantes. Como un moderno Jason, el eterno aspirante al trono colonial regresa cada cuatro años a rondar por los alrededores de La Fortaleza, acechando a todo gobernador electo la noche misma de su inauguración. De nada valen las escoltas policíacas masivas ni los sofisticados mecanismos de seguridad. El candidato que se niega a perder va eliminando sin contemplaciones, uno a uno, a todos sus sucesores.

Ya lo ven: el problema de nuestros cineastas no estriba en la falta de argumentos potables. Con tramas tan arraigadas en nuestra realidad y a la vez tan humanamente ecuménicas, se minimiza considerablemente el riesgo de fiasco.

Ahora lo que hace falta es que se tire de pecho, sin pensarlo dos veces, algún audaz mecenas de las artes.

LAS ESPOSAS CONTRAATACAN

Uno de los versos más citados de la literatura británica es aquel que proclama con amargura: "No hay furia en el infierno como la de una mujer despechada."

Ignoro si su autor, Sir William Congreve, llegó a ese convencimiento filosófico en un rapto de inspiración o si sufrió alguna vez el embate de una revancha femenina. Lo cierto es que, viniendo de tan distinguido espécimen del género opuesto, la parcialidad de la opinión invita a la sospecha.

El tema, lo concedo, es fascinante. Y más cuando la actualidad noticiosa casi lo ha puesto de moda. Los enredos conyugales de personalidades políticas reciben un despliegue mediático intensivo. Gracias al entrometimiento insaciable de las cámaras, hemos presenciado perturbadoras escenas de la vida real que subrayan, por contraste, la sosa artificialidad de las telenovelas importadas.

Además del atractivo chismográfico que ofrecen a los consumidores de escándalos, estos melodramas criollos tienen sus ribetes literarios. Varios títulos posibles le cruzan a uno por la mente: "Las miserables",

"Veintipico años después", "La daga en el brasier", "El misterio del cuarto *shocking pink*", "En busca de la chilla perdida". Cualquier trasunto a la narrativa del siglo diecinueve es pura coincidencia.

Los protagonistas son siempre los mismos: un político madurón y una esposa desechada. La trama no varía demasiado. Tan pronto se descubre la existencia de "La Otra" (léase, modelo nuevo y mejorado), la mujer afila la sinhueso. De las brumas saharianas de un ayer común, resurgen viejos e inéditos delitos. Se ventean confidencias; se apuntan deslices; se exhiben debilidades. De golpe y porrazo, muere, a manos de su defensora oficial, el mito del caudillo intocable.

El soplón nunca ha sido un personaje simpático. Y menos aún la soplona. Por algo provee la ley para la protección de los secretos de alcoba, cuestión de mantenerle enrollada la lengua a las señoras. Se alega que los hombres ejercen mayor discreción en esos aprietos. La publicitación de las intimidades les causa urticaria. Callan las faltas de sus mujeres, quién sabe si por disimular las suyas. Y prefieren la venganza de la sangre a la de las palabras.

De todos modos, el tribunal popular no es nada tierno con la *vendetta* de las damas. Se espera que sean modelos de compostura en todo trance. La esmerada protección de la imagen del marido es elemento capital de un protocolo heredado. Los trapos sucios –repiten madres y abuelas– se lavan en casa.

Por eso, los grandes líos erótico-políticos de antaño se guardaban bajo llave. La esposa agraviada se hacía de la vista larga y ahogaba sus penas en el fregadero. La dependencia económica y la escasa conciencia en materia de derechos limitaban severamente sus opciones. Con la autoestima hecha papilla, había que asumir como *karma* existencial la encerrona degradante.

Liquidada quedó la inmunidad diplomática de los maridos con las conquistas civiles del siglo veinte. Los divorcios litigiosos quebraron las complicidades del tapujo. Y la resignación dejó de ser virtud exclusivamente femenina.

Consecuentemente, la euforia libertaria desató la pasión del desquite. La confesión adquirió un valor mercantil. La justicia del destape propició la ética del *talk show*. Y allá fueron las consortes ofendidas a tirar alegremente "al medio" a sus medias naranjas con la bendición de "La Comay".

Hasta en la cárcel y en la jungla, irrita la deslealtad. En estos casos, preciso es señalar, la hay por partida doble. Resulta entonces demasiado fácil condenar a las delatoras. Más interesante sería tratar de colocarse en su lugar.

Las esposas de los políticos son una especie temperamental. Mientras gozan del favor y la fortuna de sus cónyuges, ordeñan las vacas gordas de la fidelidad. Una vez reemplazadas en el lecho nupcial y la cuenta bancaria, escriben el manual de la rabia.

Puesto que en sus vidas no hay ofensas privadas, la humillación desborda la intimidad. A pecado público, castigo público. La represalia adquiere rango de imperativo moral. Con un poco de suerte, las circunstancias servirán para justificar la gestión revanchista. Después de todo, el político corrupto cae bajo la categoría de basura no reciclable. La delación de la esposa termina siendo algo así como un servicio a la comunidad.

El corazón tiene razones que la razón no conoce, dijo el filósofo francés Blaise Pascal. Sería absurdo pretender reducir el desvarío humano a la banalidad de la lógica. De cualquier modo, cabe preguntarse cuán radical tiene que ser el desencanto para transformar a una mujer en juez y a un hombre en acusado.

Toda máxima encierra una dosis de prejuicio y otra de verdad. También el verso inmortal que inspira estas palabras. Así pues, no tengo por qué negarme el travieso placer de la riposta.

Cada cual con sus prejuicios, *my dear* Sir William. Si no hay furia en el infierno como la de una mujer despechada, tampoco debe haber pena en el cielo como la de un amor traicionado.

OPERACIÓN "POR LO MENOS"

A juzgar por ciertos reportajes publicados, cunde el pánico en el Departamento de Educación. La ley federal que responde al sentencioso título "Que ningún niño quede rezagado" amenaza con recortes de fondos y cierres de escuelas si no se cumple con sus veinticinco requerimientos oficiales.

Más allá del llantén por la magnitud del analfabetismo funcional, el comienzo del año escolar impone una seria reflexión en torno a nuestras deficiencias pedagógicas. Al margen de esos majaderos criterios que nos encajan los americanos, me aventuro a presentar una humilde propuesta para la evaluación del aprovechamiento estudiantil.

He bautizado a mi criatura con el recatado apelativo de "Operación por lo menos". Se trata, en resumen, de establecer un nivel umbral simbólico, es decir, unas pautas mínimas de aprendizaje que el candidato deberá satisfacer a cabalidad en la escuela primaria, so pena de no ascender a la intermedia.

Mis expectativas no son desmedidas. Es más, propongo un único objetivo por asignatura de suerte que los maestros puedan dedicarse a machacarlo hasta la saciedad. La idea es que, al cabo de seis años de escolaridad, el educando haya dominado los seis puntos mencionados a continuación.

En el área de español –área en la que no descuellan tampoco algunos mentores– me conformaría con que, llegados al sexto grado, los alumnos hubieran cesado para siempre de escribir y decir "íbanos" y "estábanos". La corrección de ese disparate tan generalizado representaría, de paso, una significativa aportación a la lucha contra el discrimen clasista.

A fin de rescatar la malograda docencia del inglés, recomiendo adiestramiento intensivo en el manejo de llamadas telefónicas. Hace unos años, cuando el Pediatra Nacional, don Pedro Rosselló y González, oficializó "el difícil", una estación radial no pudo localizar, en toda la isla, a un solo alcalde (o una sola secretaria) que aceptara venir al teléfono para conversar con un interlocutor anglohablante. Por lo tanto, si al filo de su sexto año el aprendiz no puede siquiera mascullar un mísero *Sorry, I don't speak English*, sugiero que se le aplique sin piedad todo el peso de la efe.

En el campo de las matemáticas, bastaría con que se aprendiera a sumar y restar sin la ayuda de los dedos o las calculadoras de bolsillo. Da vergüenza ajena presenciar la total incompetencia de un adulto frente a una cuenta complicada. En el aula, sería útil perfeccionar el cálculo mental con un ejercicio muy pertinente: estimar el monto de los dineros públicos robados por los funcionarios corruptos de las sucesivas administraciones.

Los cursos de ciencia desarrollarían con mayor eficiencia las facultades investigativas al concentrarse las lecciones en un solo problema ambiental por año. Se podría comenzar con el misterio de los célebres "olores objetables". No hay enigma mayor en el universo que la determinación de la causa y el origen de esos hedores que producen mareos y desmayos en facultad y alumnado e interrumpen, con irritante frecuencia, el horario de clases.

El currículo de estudios sociales tendría que abordar el fecundo tema de los días feriados. Un enojoso vacío cognitivo queda al descubierto cuando, en esas fechas oficiales, los reporteros se trasladan a las playas para interrogar a los bañistas. Por más que se rasque la coronilla, ninguno de los entrevistados es capaz de identificar al personaje o evento que le ha valido una jornada de libertad. Convendría organizar pasadías playeros en los que, con la ayuda de trivias y juegos de adivinanzas, se anticiparan estrategias para prevenir tan embarazoso destape de ignorancia.

Aunque no corresponda a un curso específico, el último es el elemento capital del revolucionario programa que someto a la consideración de las autoridades. Bajo ningún concepto habrá de obtener su diploma de sexto grado quien no sea capaz de distinguir la derecha de la izquierda.

Cualquier automovilista que se haya perdido por las carreteras del país sabe lo imposible que resulta conseguir indicaciones exactas para llegar a su destino. La boca y la mano de la persona interpelada ofrecen direcciones irreconciliables. No en balde se comenta, sin calibrar la literalidad de la observación, que el pueblo puertorriqueño anda un tanto desorientado.

No cabe duda: la penetración temprana de esos seis selectísimos puntos en la corteza cerebral de los escolares repercutirá de manera positiva sobre la calidad de vida del país. Con las lenguas enderezadas, la mente afilada para el cómputo, las facultades investigativas en alerta naranja, la memoria histórica fortalecida y la ubicación espacial bien afincada, el estudiante quedará debidamente armado para enfrentar los complejos retos intelectuales que le reservan las etapas intermedia y secundaria.

Las opiniones, claro está, divergen. Algunos expertos sostienen que una megadosis de tecnología en el salón de clases atajará, de una vez por todas, la plaga del subdesarrollo formativo. Otros se caen de nalgas afirmando que sólo se evitará la debacle de la incultura con el retorno triunfal del reglazo.

Sospecho que ni el furor cibernético ni el rigor disciplinario obtendrán los resultados rápidos y concretos que puede garantizar mi "Operación por lo menos".

¿Qué tal si la ponemos en marcha? A lo mejor hasta nos la plagian los americanos.

VER WASHINGTON Y MORIR

Últimamente, el puesto de comisionado residente se ha convertido en la silla más caliente de la política insular. Algunos la desean con lujuria insaciable. Otros le sacan el cuerpo como vampiro a la estaca. A juzgar por el revuelo que han causado las especulaciones sobre eventuales candidaturas, cualquiera diría que el título de Mendigo Oficial del Estado Libre Asociado ha adquirido, de repente, una trascendencia inusitada.

Hasta hace poco, a nadie le importaba un bledo verle la cara a los contrincantes por sillas menores. Lo que contaba era el gobernador o, mejor dicho, el partido. Así las cosas, se procedía a rajar alegremente la papeleta con la consabida cruz bajo el emblema predilecto. Eso incluía en el paquete al cuasi anónimo encargado de nuestros asuntos en Washington.

Para bien o para mal, aquella época idílica pasó. Quién sabe si por copiete del inseparable dúo electoral que constituyen el presidente y el vicepresidente de Estados Unidos, ahora es cuestión de vida o muerte comparecer ante los votantes debidamente enyuntado.

Siempre me han intrigado las razones que mueven a los que ambicionan esa plaza. Se descarta de entrada la tentación de figurar en la Historia. Ya hemos visto dieciocho de esos especímenes y ninguno es particularmente recordable. No conozco a nadie que se haya tenido que embotellar sus nombres en la clase de Estudios Sociales.

Ergo, ¿cuál es la onda? ¿El salario? ¿La pensión? ¿Las cenas en restaurantes caros? ¿Qué incentivo material hará falta para que alguien se someta, voluntariamente, a la humillación de ejercer una presencia ausente entre los que timonean por control remoto el destino de este país?

Ésa es, sin duda, la más absurda de todas las encomiendas absurdas de nuestra singular ordenación gubernamental. El comisionado residente no es más que un delegado fantasma en la Cámara de Representantes americana. Durante años, sólo podía elevar su solitario chillido de ratoncito migrante ante la inminencia cruel de algún recorte al queso presupuestario. No hace tanto, le concedieron la gracia del voto simbólico en los comités de trabajo. En el pleno de la Cámara, ese simulacro demagógico se desinfla. Si su voto resultara ser decisivo, quedaría automáticamente descontado.

Se me dificulta concebir que alguien en su sano juicio sueñe con ocupar ese anodino cargo. Y vuelven mis interrogantes obsesivas. ¿Cuál podrá ser el detonante psicológico? ¿Será el placer sensual de mascar el difícil en la mismísima sede del poder imperial? ¿Será el atractivo inefable de trajearse, peinarse y perfumarse para jugar al perfecto *Congressman*? ¿Habrá que ver en tal empeño la concretización de la suprema fantasía del colonizado?

Provoca asombro la furia de las candidaturas recientemente desatada entre las filas novoprogresistas. Aunque el ambiente en los Estados Unidos tiende a desalentar esos afanes, no hay que subestimar la mística del asimilismo militante. Mientras sus admirados conciudadanos del otro lado del charco levantan un muro enorme contra la inmigración latina, a nuestros románticos estadistas les seduce la ilusión de impulsar, desde su invisibilidad heroica en el Congreso, el triunfo improbable de su causa.

Los estadolibristas andan azorados. Los vientos que soplan desde el norte anuncian malos ratos para un comisionado residente sin ánimo de cambio. ¿Ir para allá a coger gaznatadas? ¿Tener que defender como gato boca arriba lo indefendible? ¿Seguir desempeñándose como triste cabildero del estancamiento histórico? No, gracias, que se inmole otro. Las vocaciones suicidas no abundan en ese bando.

Pero no todo está perdido. La debacle económica que nos ha infligido el gobierno "compartido" podría producir una sorpresiva reconversión de la sosa figura del comisionado residente. En efecto, si es él quien logra acceso al recinto sagrado del Congreso –custodio del barril sin fondo que ha hecho las delicias de legiones de abonados al mantengo– hay derecho a inquirir para qué rayos sirve tanta mano de obra inútil comiendo de gratis en el Capitolio y La Fortaleza.

En ese caso, ¿no valdría mejor ahorrarnos la jeringa de las elecciones y contratar a un cobrador cariduro que se persone de vez en cuando en Washington a reclamar los milloncitos que nos tocan?

CONSEJOS PARA FUTUROS ASPIRANTES

La lucha al degüello por la candidatura a la alcaldía de la ciudad capital ha puesto una vez más de manifiesto las escaramuzas soterradas que se libran sin cuartel en la incierta frontera entre lo público y lo privado.

Desde que el mundo es mundo, las contradicciones entre la imagen oficial y el comportamiento personal de los políticos le han echado sal y vinagre al sofrito de la historia. De las intrigas de alcoba vivieron siempre, en todas las épocas y comarcas del universo, los cortesanos, esos cronistas anónimos de la intimidad real.

En nuestros tiempos, el teatro del bochinche palaciego se ha enriquecido con tres nuevos personajes grupales, especies de coros de zarzuela que a la vez consumen y divulgan escándalos. Éstos son los comités de campaña, los medios de comunicación y los electores.

Con la costosa ayuda de asesores publicitarios, los comités se desviven reescribiendo vidas ajenas. Los medios se dedican por vocación a vampirizarlas. De los electores, espectadores boquiabiertos del mejor *reality show* en la tele, podría decirse que ya ni vida tienen. Los detalles escabrosos de la biografía pélvica de sus líderes proveen ahora esas emociones fuertes de las que tanto carece la aburrida cotidianidad.

Los aspirantes políticos sufren en carne propia las consecuencias del frenesí chismográfico. El maquiavelismo de sus enemigos, el parasitismo de la prensa y la morbosidad del electorado han terminado por condenarlos a ese incómodo espacio entre la espada y la pared.

¡Tiemble quien no haya echado al incinerador el viejo esqueleto que tiene atacuñado en lo más profundo del baúl del carro! Sólo aquel cuyas intachables ejecutorias le hayan valido la canonización en vida podrá desafiar el embate de los ventarrones que amenazan con volar las puertas y ventanas de su habitación.

Ante el avance imparable de las lenguas viperinas, ¿qué puede hacer un candidato en defensa propia? A la hora del destape forzado, ¿cuáles son las alternativas reales?

NEGAR: Fuentes de entero crédito aseguran que lo más ventajoso es declarar con gesto y tono contundentes mientras se mira sin pestañear al ojo de la cámara: "Esas imputaciones no sólo son descabelladas e insultantes sino absolutamente difamatorias y totalmente falsas." Tampoco vendría mal achacarle el asunto a la mala entraña de la oposición o a las hachas botas de los propios correligionarios.

Desgraciadamente, el célebre *affair* del presidente William Jefferson Clinton (Bill, para sus amigas y colaboradoras) ha desacreditado para siempre esa opción. Tratar de disimular una realidad documentada sólo sirve de acicate al chantaje. El riesgo de ser confrontado con fotografías, cheques cancelados, recibos de Visa, faxes, *e-mails*, vídeos y testigos de última hora desaconseja firmemente toda refutación categórica.

En ocasiones, negar podría leerse como sinónimo de "renegar", lo que tiene unas implicaciones bastante graves. Alegar que NO se es independentista, *gay*, vegetariano o santero para evitar el linchamiento a manos de un electorado mayoritariamente asimilista, heterosexual, carnívoro y cristiano puede dar paso a enjuiciamientos nefastos.

De ser delatada la verdad tapada, las minorías ofendidas condenarían la claudicación y las mayorías bienpensantes se mofarían del engaño. Con todos sus afanes exculpatorios, el aspirante podría quedarse sin la soga y sin la cabra.

CONFESAR: Expertos en la materia opinan que admitir aventuras sexuales (o resbalones fiscales) nunca está exento de peligros. La probabilidad de una recaída no es, ciertamente, el menor. A pesar de sus obvios méritos terapéuticos, la confesión tiene el inconveniente de alentar nuevas y más profundas indagaciones.

Envalentonadas, la prensa y la *Gestapo* moral se creerían autorizadas a hurgar en la llaga y a exponer las sórdidas entretelas del *boudoir* allanado. Con mayor razón si, para colmo de hipocresías, el disco rayado de la campaña ha sido precisamente el de los "valores familiares".

Aunque sería refrescante oír, de vez en cuando, un valiente y decidido: "Pues sí, ¿y qué?", el ridículo acecha al confesante inexperto. Éste se vería obligado a ceñirse el gorro de penitente para suplicar hasta la saciedad el perdón de Papito Dios y el *Alzheimer* de los electores. En ese penoso espectáculo público, la esposa del interfecto podría darle un golpe bajo vomitando sapos y culebras imprevistos.

CERRAR EL PICO: Entre las huestes de los políticos con historial de platos rotos, la vía de la discreción va ganando cada vez más adeptos. La idea es no despegar los labios, no menear la lengua, apretar los dientes y resistir, contra viento y marea, toda tentación de negar o confesar.

A esos efectos, se recomienda aprenderse de memoria y recitar, con voz engolada y mirada perdida en el espacio, alguna línea salvadora tipo: "En una democracia, la intimidad es el último baluarte de la libertad ciudadana". Para batear los bolazos insistentes de los periodistas, esa afirmación –que podría fácilmente convertirse en *slogan* de campaña– tendría que ser machacada hasta la ronquera en cada conferencia de prensa.

Claro está, los faltos de inspiración siempre podrán sonreír a toda muela y murmurar muy bajo, mientras se alisan con los dedos el bigote recién teñido: "Ni lo afirmo, ni lo niego, ni lo descarto, sino todo lo contrario".

COSAS DE TOM

Mi amigo Tom es un gringo buenagente y soñador a lo Patch Adams. Lleva más de veinte años viviendo en San Juan, ha echado raíces en la isla y no tiene pelos en la lengua cuando hay que defenderla. El otro día, se atrevió a proclamar a los cuatro vientos que, pese a todos sus aires de Superpotencia Única, los Estados Unidos no son más que un cafre paisito del Tercer Mundo. Para sustentar tan escandalosa teoría, esgrimió cuatro argumentos.

El primero es el del pasado colonial compartido. Al igual que las naciones latinoamericanas y caribeñas, los sobrinos del Tío Sam tuvieron que chuparse por bastante tiempo la opresión de un gobierno europeo. Y aunque hayan hecho todo lo posible por echarlo al olvido, ese dato histórico ha marcado la psicología profunda de los americanos. Tal parece que los pobrecitos todavía no han podido superar el complejo de inferioridad hereditario de los pueblos dominados.

La audacia de la opinión me desencajó la quijada. ¿Tan colonizados como cualquier hijo de vecino los imperialistas del norte? Semejante contradicción se me antojaba totalmente caprichosa hasta que Tom me la explicó con su santa paciencia.

Como los adolescentes criados por padres crueles y autoritarios, los americanos están condenados a reproducir una y otra vez el modelo de sus antiguos amos. Su baja autoestima nacional los obliga a desquitarse a través de la constante invasión y la persistente doblegación de países menos poderosos. Ahora sí que nos salvamos, pensé. Nos ha tocado el dudoso honor de resolverles su trauma ancestral a los yanquis.

Las diferencias abismales entre ricos y pobres, tan obvias en las grandes ciudades estadounidenses, sostienen el segundo argumento de Tom. Dos ejemplos le bastan para probarlo. Cualquiera que se haya paseado por los barrios negros o latinos de Nueva York tiene, por fuerza, que dejar de creer en el mito de la prosperidad democrática. Cualquiera que haya visto las hordas de deambulantes durmiendo en las plazas, viviendo en las entrañas de las estaciones de tren o asediando a peatones y automovilistas en cada intersección urbana tiene que constatar la transformación en pesadilla *live* del viejo *American Dream*.

Ante verdades tan evidentes, yo mantenía el pico bajo llave. Pero, Tom, dije cuando logré despegar los labios, ¿y el *Welfare*? ¿Y el Plan 8? ¿Y los cheques de alimentos? Los grandes ojos azules de mi amigo atravesaron los míos como un rayo láser. Eso, contestó tras una pausa efectista, sólo sirve para prolongar la cultura de la miseria y reafirmar la dependencia de las masas. Pero ya mismo se acaba el vacilón, añadió con una mueca ominosa. Ya mandaron a amolar las tijeras los Republicanos...

Y para que no fuera yo a querer buscarle la quinta pata al gato, me disparó el tercer argumento. En materia de violencia, los Estados Unidos no tienen nada que envidiarle al más salvaje de los países subdesarrollados. Y, ajustándose el sombrero de sociólogo, se dio gusto tirando estadísticas. No hubo maldad americana que se quedara sin reseñar: brutalidad policíaca, masacres escolares, crímenes racistas, trasiego de armas, invasiones internacionales…

Estaba tan exaltado que no me dejaba meter cuchara. Por fin, aprovechando una apertura inesperada, pude intercalar un débil: Ay, chico, si esas cosas suceden en las mejores naciones... ¿Ah, sí?, ripostó, poniéndose más rojo que langosta hervida. ¿Y qué me dices de la versión USA del golpe de estado? Allí no vota ni el cincuenta por ciento del electorado. Y cuando los grandes intereses quieren salir de un presidente, arman a un loco y fabrican un asesinato.

A estas alturas, yo había perdido toda esperanza de llevarle la contraria. Me resigné al mutis para escuchar el alegato final que, a juzgar por los anteriores, prometía ser el más demoledor.

Los Estados Unidos de América, sentenció Tom, regodeándose en la pronunciación del nombre completo, no tienen ni han tenido jamás un gobierno civil. Donde manda Pentágono, no manda presidente. El título es pura fachada. En Washington, como en la mayoría del Tercer Mundo, quienes lo deciden todo son los militares.

Saboreando su victoria, Tom sonreía a toda muela. Rendida ante la evidencia, me le quedé mirando fijo. No sé si fue un espejismo o una proyección de sentimientos propios, pero vi pasar por sus ojos una fugaz nubecita de tristeza. Al darse cuenta de que lo había agarrado *in fraganti*, se recompuso al instante, engoló la voz como si lo estuvieran entrevistando para *Good morning America,* y se cuadró para la parrafada de cierre:

-Cuando los americanos tomemos conciencia de nuestras realidades históricas, cuando abracemos la hermandad y rechacemos el egoísmo, podremos ayudar a levantar la casa grande y cómoda que se merece la humanidad.

No me quedó más remedio que aplaudir. La próxima vez, lo invito a un sancocho.

LA CUMBRE DE LA INDECISIÓN

El primer domingo de octubre, a espaldas de los medios noticiosos, se produjo el acontecimiento más importante de nuestra historia. Ante la inminencia de las elecciones, ciudadanos indecisos provenientes de todos los municipios lograron, por fin, ponerse de acuerdo para celebrar una reunión de emergencia.

Gracias a mis contactos, pude colarme en el flamante "Choliseo" de Hato Rey para observar los trabajos de la llamada Cumbre de la Indecisión. De más está decir que la incertidumbre típica del movimiento indeciso hizo que hasta el título mismo de la actividad fuera objeto de agotadoras negociaciones. Tuve que afinar el arte de la paciencia para poder aguantar el magno silletazo de una sesión que debutó a las diez de la mañana y concluyó a las doce de la noche.

Pese al espíritu dubitativo que lo cimienta, el grupo brilla por su variedad. Lo componen facciones tan diversas como las de los desafiliados, los renegados, los cínicos, los escépticos, los indiferentes, los realengos, los librepensadores, los aburridos, los tapados, los veletas y (sic) los cagados. Con cien turnos a favor y cien en contra, cada moción se debate hasta la saciedad. Aun así, a la hora de la votación siempre resulta mayor el número de abstenidos.

Menos mal que, aquel día, la agenda principal no era el estatus de Puerto Rico o nunca hubiéramos vuelto a ver la luz del sol. La urgencia era otra. A fuerza de recibir las burlas y rechiflas de las masas partidistas, los indecisos se habían sentido obligados a formular una expresión de apoyo a alguno de los candidatos. Su natural aversión a toda determinación clara y específica no tardó en manifestarse en todo su titubeante esplendor.

Lo primero fue una prolongadísima discusión en torno a las razones para no votar, posición con la que simpatizaba el grueso de la asamblea. Los cínicos plantearon, de entrada, la inutilidad de cualquier toma de decisión. La vacilación –insistían los escépticos– es lo propio del ser pensante, la máxima expresión de la libertad intelectual. El bando más radical, el de los renegados, denunciaba rabioso la inmoralidad de una toma de posición unilateralmente impuesta por el sector decidido.

Cuando el voto en blanco comenzó a perfilarse como única salida honorable, la Cumbre parecía destinada al chasco. Después de tanta polémica, los asistentes corrían el riesgo de regresar a sus hogares en el mismo estado de indefinición. Picadillo a la criolla es lo que harían con ellos periodistas, politólogos y comediantes.

En eso, a un desafiliado anónimo se le encendió la bombilla cerebral. El asunto era apuntar en una pizarra los deméritos de los dos candidatos con más probabilidades para luego escoger, no el mejor –lo que siempre se revela más difícil– sino el menos malo. El resto era un paseo: redactar un documento de respaldo al susodicho y sanseacabó. Una ovación premió al autor de aquella genial idea que prometía liquidar, de una vez por todas, el tranque embarazoso.

Tan pronto pusieron lenguas a la obra, se desató la confusión. Los defectos señalados por unos eran aclamados como virtudes por otros. La ambigüedad de los criterios y la parcialidad de las opiniones hacían lucir a ambas opciones fatalmente idénticas. Versiones contradictorias de los incidentes referidos saltaban como salivazos de todas partes. Para colmo de males, las listas de las fechorías anotadas bajo el nombre de cada uno crecían paralelamente.

Sin consenso posible, la hesitación arropaba nuevamente a las huestes indecisas. De repente, desde el gallinero ocupado por los cagados, una tímida voz inquirió: ¿Por qué no dilatamos un poco este proceso a ver si, mientras tanto, alguno de los candidatos muere, renuncia o es arrestado por los federales? A lo que ripostó indignado el líder de los veletas: Para eso, mejor esperamos el resultado de la última encuesta de *El Nuevo Día* y, ahí, nos pronunciamos.

La disputa entre facciones amenazaba con terminar a puños y patadas. Hasta los indiferentes y los tapados, normalmente discretos, soltaban gritos y vulgaridades. De pronto, un librepensador con tendencias suicidas se puso de pie. Les recuerdo a mis queridos correligionarios, dijo con voz tembluzca, que existe un tercer candidato en la papeleta, por si no se habían fijado...

Aquellas palabras mesuradas cayeron sobre la concurrencia con la fuerza de un huracán categoría cinco. Un gran abucheo fue la respuesta espontánea de la multitud. ¿Cómo se le ocurría a ese soplapotes venir a complicar el santo enredo con la añadidura de otra indeseable alternativa?

El caos se había apoderado del lugar. Los veletas corrían desorientados por los pasillos, olfateando el aire, mientras los tapados intentaban con disimulo inclinar la balanza a favor de alguno de los evaluados. Molestos, los realengos y los desafiliados abandonaron sus puestos laterales y evacuaron en bloque el Choliseo.

Entonces, ocurrió algo providencial. Un miembro de la comparsa de los aburridos –que había permanecido al margen del debate jugando a cruces y ceritos con uno de sus colegas– propuso, entre bostezos, el remedio salvador.

Al toque de medianoche, se aprobó, por unanimidad, un pedido de posposición de comicios para ser enviado, vía fax, a la Comisión Estatal de Elecciones. Así, dentro de cuatro años, podrá celebrarse, con la calma y prudencia requeridas por una deliberación tan importante, la segunda gloriosa Cumbre de la Indecisión.

Lo que está en veremos es la sede, dijo un cagado con cara de cínico por encima de los aplausos.

ZOOM A LA MEMORIA

DESDE EL BALCÓN DE ISOLINA

Cuando me mudé a Santa Rita, hace unos treinta años, tuve una vecina extraordinaria. Isolina Rondón vivía en la calle Mejías, en un minúsculo mirador donde abundaban los periódicos y los gatos.

Los periódicos formaban grandes pilas amarillentas que cubrían casi la totalidad del piso. Los gatos deambulaban curiosos por aquel laberinto de papel, deslizándose entre las páginas raídas, frotándose contra los titulares borrosos, olfateando el perfume del pasado.

Dominaban la sala un busto y dos óleos de Pedro Albizu Campos. Isolina se ufanaba de haber sido la secretaria del líder nacionalista, función que seguía ejerciendo a juzgar por sus temas de conversación. Cuando no citaba alguna sentencia proceriana de su jefe, evocaba anécdotas personales que iban esbozando un retrato más cotidiano y más íntimo de aquel a quien, con tanto afecto, llamaba sencillamente "don Pedro".

Entre los sucesos históricos que guardaba en su archivo mental estaban los del 24 de octubre de 1935, mejor conocidos como "la Masacre de Río Piedras". Para aquella época, Isolina residía en la calle Brumbaugh (antigua calle de la Luna), eje central que atraviesa de norte a sur la Ciudad Universitaria. Y, desde la perspectiva privilegiada que ofrecía el balcón de su casa, presenció una ejecución.

Río Piedras era, en la década del treinta, bastión capital del movimiento nacionalista. El propio Albizu Campos vivía con su familia en la calle Oriente, hoy Georgetti. El Club del Partido, atendido por Isolina, radicaba en la calle del Sol, actual Paseo de Diego. En una finca del barrio Sabana Llana, se entrenaban Los Cadetes de la República. Desde 1919, la Universidad de Puerto Rico era escenario de fogosas protestas anticoloniales, apagadas a fuerza de expulsiones.

Aquel 24 de octubre, precisamente en la UPR, simpatizantes del régimen americano habían convocado una asamblea para declarar a Pedro Albizu Campos *persona non grata* en el campus. Un discurso del líder denunciando el carácter asimilista de la educación superior había encendido la mecha del descontento.

Originalmente fijada para el 23, la asamblea fue aplazada debido a la ferviente oposición estudiantil suscitada por la agenda contra Albizu. En los alrededores de la Universidad, así como a la entrada del casco riopedrense, se estacionaron, carabina al hombro, un sinnúmero de policías uniformados.

Con absoluta intensidad, como si estuviera reviviendo cada segundo escalofriante, Isolina se adentraba en la atrocidad de aquella mañana. Lo que vio y escuchó marcaría para siempre su carácter.

Dos autos se detienen en medio de la calle: en uno, tres agentes; en el otro, cuatro nacionalistas. Dos agentes se bajan del primer auto y se acercan al segundo. Suben a los estribos en cada lado del vehículo y apuntan sus armas hacia el interior. Forcejeo. Gritos. Tiros. Y una voz seca que ordena desde afuera: "¡No los dejen salir con vida!"

En la intersección de Brumbaugh y Arzuaga, frente al frondoso Parque de Convalecencia que tan idílicamente describiera el poeta Evaristo Ribera Chevremont, murieron los nacionalistas Ramón Pagán y Pedro Quiñones. Esa misma noche, falleció en el hospital Eduardo Rodríguez Vega.

El cuarto pasajero, Dionisio Pearson, resultó herido de gravedad. Tres transeúntes que observaban y otro que compraba su último billete de lotería fueron alcanzados por las balas de la policía. Junto a un portón de la Universidad, cayó, en un segundo tiroteo, José Santiago Barea.

Isolina no buscó refugio. Permaneció apostada allí, en su balcón, toda ojos y oídos, como una verdadera centinela de la historia. Los agentes asesinos nunca fueron acusados.

Durante el juicio celebrado contra Dionisio Pearson –único sobreviviente del atentado– Isolina pudo corroborar el relato de otros testigos presenciales y desmentir la versión policíaca que alegaba defensa propia. Con Albizu Campos como abogado, Pearson fue absuelto por un jurado el 18 de marzo de 1936.

La conmemoración de la Masacre de Río Piedras es una deuda largamente pospuesta. Para la ocasión, la calle Brumbaugh requeriría un nuevo nombre. Merece algo mejor, en todo caso, que el apellido de un intrascendente funcionario colonial.

El nombre luminoso de Isolina Rondón rendiría justo tributo a la valentía de una mujer puertorriqueña, a las víctimas del 24 de octubre y a la verdad.

ÉRASE UNA VEZ EL SILENCIO

De niña y adolescente, viví una época de contradicciones abismales. Los años de mi escolarización primaria coincidieron con la inauguración del Estado Libre Asociado. El optimismo que acompañó a ese período de nuestra biografía contemporánea tuvo su lado tenebroso. La era del progreso fue también la del silencio.

En aquel tiempo, la palabra "nación" no se usaba sino en referencia a los Estados Unidos. Nuestro país era simplemente "la isla" y nuestro gobierno cargaba con el inevitable apellido de "insular" para distinguirlo diplomáticamente del "federal", detentor del poder real. Los manuales de historia se detenían prudentemente en el año terrible del 1898. Del Partido Nacionalista, tan eficazmente reprimido, no se decía ni pío y el nombre de Pedro Albizu Campos –tildado por algunos de "brillante pero loco" y por otros de "sincero pero equivocado"– era casi una mala palabra.

La violenta represión oficial que había caracterizado a la primera mitad del siglo veinte se fue transformando en autocensura, tanto más efectiva cuanto más inconsciente. El desconocimiento (o la negación) del pasado, el presentismo a ultranza, la subestimación de lo autóctono y el temor a expresar opiniones disidentes fueron premisas que marcaron no sólo la educación escolar sino la crianza hogareña.

Los turbulentos sucesos internacionales de los años sesenta transformaron, de golpe, el espíritu de los tiempos. Estrepitosamente, se rompió el silencio. Con las luchas que por todas partes se libraban en favor de las minorías excluidas, un vigoroso movimiento contestatario animado por la juventud logró afianzar la proclamación franca y abierta de todo lo puertorriqueño. Por suerte, también me tocó vivir ese momento.

El destape tuvo su costo. Recuerdo que el simple hecho de llevar un pegadizo de nuestra bandera en el parabrisas del carro representaba, en la década del setenta, un riesgo considerable a la seguridad. Agentes encubiertos y fanáticos delatores hacían impunemente de las suyas con la complicidad de las autoridades. El fichaje y la persecución política eran la suerte siniestra que corría todo el que se atreviera a nadar contra la corriente. La bandera monoestrellada, domesticada por la oficialización de 1952, recobraba así el carácter subversivo de sus orígenes.

Hoy día, gracias al sostenido empeño de los que nos precedieron, el aprecio por lo nuestro se da por sentado. Es más, al ver que la onda puertorriqueñista atraviesa el discurso de todos los partidos políticos y encuentra espacio hasta en los comerciales de televisión, algunos han llegado a afirmar que padecemos actualmente de una indigestión de "neo-nacionalismo". Esa opinión pasa por alto, con asombrosa indiferencia, la complejidad del proceso histórico vivido.

Habría que distinguir el nacionalismo autodefensivo, típico de los países que han padecido la agresión colonial, de aquel que, ejercido desde los centros del poder político y económico, se convierte en instrumento de opresión xenofóbica para aplastar a otros pueblos. El uno y el otro son de signo totalmente contrario. No hay comparación posible entre un militante racista y neonazi de la *White Militia* y un puertorriqueño que agita la bandera de su patria –tantas veces relegada y maltratada– en medio de un concierto de Ricky Martin o en el frenesí de un juego internacional de baloncesto.

¿Cómo puede esperarse que un pueblo cuya dignidad ha sido lesionada durante tanto tiempo no la reivindique enérgicamente? Si bien es cierto que la reiteración constante del orgullo nacional llega, en ocasiones, a aburrir y hasta a irritar, no por ello merece ser despachada con arrogancia.

Los puertorriqueños estamos estrenando aún una conquista relativamente reciente. Bastantes sinsabores y malos ratos nos ha costado. La expresión del amor propio boricua no es ahora, como lo fuera alguna vez, patrimonio de próceres aristócratas, sino más bien derecho humano reclamado por grandes mayorías que incluyen a nuestros compatriotas emigrados.

Siglo y pico de dominación política y manipulación psicológica ha dejado una hambruna de identificación que se alimenta de símbolos. Por más inocuos que luzcan esos símbolos, algún entusiasmo secreto logran desatar. Por más huecos que resulten, algún vacío inconfeso intentan colmar. El peligro, no obstante, se esconde en la autocomplacencia. Un patriotismo que no conduzca a la soberanía puede condenarse a un laberinto retórico de ésos que siempre terminan en el mismo lugar.

Pese a ciertas profecías prematuras, el nacionalismo está muy lejos de haber desaparecido del mapa mundial. Mientras más decretan su muerte las potencias dominantes, más redoblan ellas mismas los esfuerzos por controlar hasta la rotación del planeta. Mientras más se llenan la boca hablando de "globalización", más marginan a los condenados de la tierra. No en balde ha tildado George Lamming de *global ghetto* a este "Nuevo Orden" en que malvivimos.

Que no es lo mismo ni se escribe igual que "*global village*", señala con característica agudeza el escritor barbadeño. En un gueto no puede haber ni intercambio ni igualdad. A la hora de la verdad, mientras desprestigian y estigmatizan al nacionalismo de los pueblos cuyos destinos timonean, los dueños del mundo se las entienden para defender e imponer el suyo con uñas y dientes.

Frente a la puertorriqueñitis impenitente, algunas voces provenientes del sector intelectual han esgrimido el antídoto de un antinacionalismo burlón. Por un lado, al ponernos en guardia contra los riesgos del sectarismo excluyente, esa postura podría constituir una incitación al diálogo descolonizador. Por el otro, al pretender cortar en su fuente el gesto reivindicativo, podría desembocar en la validación de prejuicios y complejos asimilistas o en un brote de intolerancia *snob*.

La crítica es un contrapeso necesario para el vuelo equilibrado del pensamiento. Sería, no obstante, irónico que, como resultado involuntario de la condena bienpensante a un nacionalismo que se juzga anacrónico y folclórico, surgiera un nuevo tipo de autocensura capaz de inaugurar –esta vez por temor al ridículo– otra infausta Era del Silencio.

IMAGÍNESE QUE USTED TIENE UN HIJO

... y ese hijo es la luz de sus ojos. Por años, usted ha regado esa semilla, le ha prodigado cuidados infinitos, ha espiado con ternura su pausada germinación. De repente, justo cuando el milagro está a punto de producirse, como un eclipse de sol inesperado, entra en escena el mal.

Imagínese que usted tiene un hijo, un hijo que es todo el caudal de su ilusión. Usted ha cultivado en su espíritu dignidad, decencia, amor a la patria y a la humanidad... Nada lo ha preparado para enfrentarse a esas fuerzas oscuras que, a sus espaldas, urden el daño.

Imagínese ahora que, un veinticinco de julio, el timbre del teléfono quiebra de pronto la serenidad del mediodía veraniego. Usted levanta el receptor y contesta, sin sospechar que ese pequeño gesto cotidiano está a punto de cambiar el curso cabal de su existencia. Una voz impersonal le anuncia que en la morgue de Ponce hay un cadáver esperándolo. Falleció en medio de un tiroteo con la policía, explica esa voz que usted ya no quiere, no puede escuchar.

Como un autómata, usted se viste y se monta en el carro. Por una carretera que se le hace demasiado corta, va repitiendo la letanía contra el miedo: es un error, un error, un error... Pero su corazón ya sabe. Por eso, usted no reacciona cuando el forense levanta la sábana para mostrarle, sobre esa camilla fría, entre esas paredes blancas y asépticas, el rostro amoratado del hijo de sus desvelos.

Así empieza el relato inconcluso del asesinato político que partió en dos la historia contemporánea de Puerto Rico. Pocos días después, las declaraciones de un chofer de carro público demolieron la versión oficial. Las vistas televisadas del Senado delatarían, más tarde, el plan perverso en el que dos jóvenes patriotas llevaban sin saberlo, prendida al pecho, la ficha de la muerte.

Obedeciendo a las consignas del terrorismo de estado vigente, un agente encubierto de la policía los había conducido hasta la cumbre del Cerro Maravilla. Allí los esperaba un escuadrón de fusilamiento expresamente convocado para la monstruosa misión.

La tragedia no había hecho más que despuntar. A través de los años, las piezas del rompecabezas macabro seguirían cayendo en su lugar. Y aunque los gatilleros hayan sido juzgados y sentenciados, los autores intelectuales del crimen aún respiran libres e impunes, atrincherados en su cobardía.

Imagínese ahora que han transcurrido veintidós años desde aquella desgraciada tarde de 1978. Su hijo cumpliría los treinta y nueve. Seguramente se habría casado. Seguramente tendría niños. Esos nietos serían hoy, para usted, lo que ayer fuera su muchacho: la luz de sus ojos, el caudal de su ilusión.

Arde la carne viva del recuerdo. Pero la compañía fiel de la tristeza le ha fortalecido el temple. Usted ha visto celebrar a los culpables. Ha tenido que oírlos profanar la memoria de los muertos. Y, mal que bien, a duras y hondas penas, usted ha vencido al infortunio.

Imagínese entonces que, una mañana, usted enciende el radio y se entera que la Administración de Corrección lo anda buscando. Alegan querer consultarle antes de liberar, dentro de quince días, al hombre que asesinó a su hijo. Con el pulso vuelto tambor, usted se queda mirando a la pared como atontado.

Cuando logra salir del estupor, se comunica con el funcionario de turno para desahogar su indignación. Pero la prensa no tardará en pregonar algo peor: El prisionero sólo ha purgado algunos años de su pena por perjurio. Ni un miserable minuto de la sentencia consecutiva por el asesinato ha cumplido. Como si fuera poco, la investigación periodística desentraña un dato perturbador: durante la década de los noventa, luego de la victoria electoral del Partido Nuevo Progresista, otros cuatro verdugos ya habían sido discretamente excarcelados.

Los hechos mencionados apuntan hacia un nuevo intento de encubrimiento que prolonga el calvario del Cerro Maravilla. Las excusas oficiales del gobierno por la persecución política contra los independentistas huelen a oportunismo hipócrita mientras no se disipe, de una vez por todas, la tiniebla espesa que rodea a ese caso.

No puede haber dolor igual al de la pérdida de un hijo. Si a ese cuadro desolador se añade el agravante de la incertidumbre perpetua, ni siquiera el tiempo podrá conceder a los padres el modesto consuelo del olvido.

Hoy me uno, en un reclamo urgente de justicia, a las familias que han sufrido ese tormento inaudito. Desde sus tumbas prematuras, Carlos Enrique Soto y Arnaldo Darío Rosado piden a gritos el bálsamo de la verdad.

PARA NOMBRAR A PIRI

Acaban de darme la mala noticia. Mi primera reacción es de incredulidad. No es posible que alguien como ella haya podido desvanecerse así porque sí, un buen día, sin avisar, sin darle tiempo al universo para producir un doble razonable. No, no es posible, ni tampoco justo. Es irrepetible aquella fórmula prodigiosa que supo combinar el genio, la gracia, la fuerza y la ternura en un menudo cuerpo de mujer.

Entonces, se me asienta la tristeza. Y llegan los recuerdos para una imprevista celebración de su existencia. Pizpireta, burbujeante, intensa, Carmen Pilar Fernández Cerra –mejor conocida como Piri Fernández de Lewis– posa otra vez para las cámaras de la memoria.

Sonrisas como la suya no vienen en pares. Los labios tensos, de un rojo vivo, revelan la dentadura resplandeciente ofrecida al mundo en espléndido regalo de alegría. La mirada –alerta, atenta, fija– intimidaría si no fuera por las chispas de jovialidad que saltan de sus pupilas.

Y la voz. ¿Cómo describir ese concierto de inflexiones que definía una expresión tan peculiar? La cadencia puntuada de subidas y bajadas vertiginosas, las pausas efectistas, las exclamaciones inesperadas, las carcajadas explosivas, los susurros cómplices. Declamadora desde la niñez, era visceralmente dramática. A todos los campos de su desempeño trasladó esa pasión teatral. Por eso, maestra inolvidable, se movía en el salón de clases como sobre un escenario.

En la Universidad de Puerto Rico, cuando esos estudios aún guardaban un trasunto a exotismo, fue la primera en proponer cursos sobre literatura femenina, antillana y africana. Creó y organizó los famosos "encuentros caribeños", que congregaban a especialistas puertorriqueños y extranjeros en torno a temas de alcance regional y perspectiva interdisciplinaria. Su inmensa biblioteca doméstica, frecuentada por incontables estudiantes, conserva una de las colecciones más completas en materia de historia y cultura del Caribe.

Como una Madame de Staël tropical, Piri auspició y animó lucidísimas tertulias intelectuales. Versada en el arte de la conversación, siempre al día en materia de novedades literarias y aconteceres políticos, reunía a su alrededor, en el acogedor salón del tercer piso de su residencia, a lo más granado del mundo artístico y universitario. Su poder de convocatoria era tan irresistible como su hospitalidad, pródiga en alimentos materiales y espirituales.

Si su activismo cultural resultó efervescente y su labor educativa innovadora, no hay adjetivo suficiente para calificar su entrega a las numerosas causas que le interpelaron la conciencia. Baste evocar sus aportaciones capitales al Comité Sixto Alvelo contra la vieja ley del servicio militar obligatorio, al Comité Puerto Rico en la ONU, al Comité Pro Libertad de los Presos Políticos y al movimiento Ciudadanos Unidos en Apoyo al Pueblo Haitiano, entre muchísimas otras instancias de compromiso resuelto y cabal.

Con una energía inagotable, con un altruísmo espontáneo, no sabía hacerse escasa cuando se requerían esfuerzos o recursos para respaldar alguna empresa meritoria. ¡Cuántas veces becó estudios, pagó viajes, donó libros, financió gestiones, asignó fondos a grupos e individuos, repartió sin remilgos ni reservas los bienes que su holgada posición le concedió!

Su desprendimiento no se atenía al plano económico. Dadivosa era también en el elogio, en la frase alentadora, en la admiración y el entusiasmo que le inspiraba el talento ajeno. Segura de sus propias capacidades, fue una agente provocadora de la creatividad general. Dotada de una mente brillante como pocas, supo ejercer con elegancia la diplomacia de la solidaridad.

Piri Fernández de Lewis era una embajadora nata. Un convencimiento firme guiaba sus decisiones. Un instinto certero dictaba sus alianzas. Dispuesta a la negociación –aunque nunca a la claudicación– entablaba coloquios cordiales con el más agrio de los adversarios. Ante la crítica, el engaño o el ataque, desplegaba sus colores de combate. Los rayos nunca caen en los batatales; caen en las palmas reales, sentenciaba con el gesto hecho fuego.

A la hora de la muerte, cuando los difuntos menos encomiables quedan elevados al rango de santos, el espíritu indómito de Piri se resiste a las reducciones simplistas. Con su picardía y su gravedad, con sus rigores y sus excentricidades, fue uno de esos cometas fugitivos que sólo rozan el aura de la tierra cada cien años. Su trayectoria iluminada es un monumento viviente a la honestidad, la valentía y la generosidad del intelectual verdadero.

Las tumbas que no se visitan se vuelven páramo intransitable. La yerba agrieta la piedra. El hollín empolva los epitafios. Con la erosión forzosa del tiempo, las lápidas pierden los nombres de sus dueños.

Todo se juega en la palabra: el amor, la vida, el arte, el recuerdo. Por eso hay que seguir nombrando a Piri: para que nunca desmerezca, ante el asedio del olvido, su figura de amazona libertaria.

PUCHO DE ARABIA

Siempre me han fascinado esos cuentos de gente que un buen día desaparece, cambiando de nombre y de aspecto, borrando de un gomazo brutal toda relación con el pasado.

A veces, se trata de una solución dictada por el más elemental instinto de preservación. Es lo que ocurre con los testigos estelares de crímenes escabrosos o las mujeres prófugas de un infierno matrimonial. Otras veces –supongo que las menos– el cambio de identidad se presenta como un riesgo asumido, una apuesta temeraria a la ruleta de la libertad.

En ese último caso, el aspirante quiere diseñarse algo más que una vida de repuesto. Con un gesto inspirado del soplo divino, pretende crear un clon idealizado de sí mismo, una criatura a la medida de su deseo. El estreno del nuevo yo exige la clausura del viejo. Atrás queda aquella madeja de inseguridades y frustraciones que paralizaban la voluntad. El fogonazo de la fantasía hace estallar las murallas de lo real.

A juzgar por los informes difundidos desde Washington, un compatriota nuestro parece haber elegido esa espinosa vía de renovación personal. José (Pucho) Padilla, peregrino de los guetos puertorriqueños de Nueva York, Chicago y Miami, ha acaparado titulares mundiales con su aparatoso arresto en un aeropuerto de los Estados Unidos. Más asombrosa que la noticia misma es la leyenda que, con retazos de datos, se ha ido construyendo en torno a su persona.

Las dos fotos suyas publicadas en la prensa delatan la transformación. En una de ellas, con su mirada pícara de chillo callejero y esos cachetes de adolescente comelón, Pucho luce su innegable mancha de plátano. En la otra, bajo la sombra de un turbante de cuadros como el que no se apeaba nunca Yasser Arafat, se asoma Abdulá Al Muhajir, encarnación cejijunta de la solemnidad musulmana.

Resulta imposible adivinar los motivos que lo indujeron a abrazar la fe de Mahoma. Cuando no se echa a broma el asunto, se invoca el síndrome del delincuente converso, tan corriente en las cárceles y los centros de rehabilitación. Esa teoría no arroja luz sobre su particular preferencia religiosa. Lo cierto es que Pucho no se hizo ni protestante, ni católico, ni budista. La búsqueda de un asidero espiritual mandaba una opción más radical.

Con su aureola de credo guerrero, el Islam goza de un sólido prestigio entre los afroamericanos. Ha gestado movimientos revolucionarios como el de los *Black Muslims*, liderado en la década del cincuenta por Elijah Mohammed, en la del sesenta por Malcom X y en la actualidad por Louis Farrakhan. Representación simbólica de una tradición interrumpida, propicia no sólo un retorno imaginario a las raíces africanas sino un reto político a la cultura dominante.

Pucho probablemente accedió al Islam mediante el contacto obligado con la comunidad afroamericana, de poderosa influencia sobre los jóvenes de extracción puertorriqueña. Según informaciones recientes, las minorías latinas han respondido con entusiasmo al llamado del Corán. Atraídos por su carácter multiétnico y su filosofía integradora, los feligreses hispanos parecen encontrar allí el calor que les niegan una sociedad excluyente y un mundo sosamente globalizado.

Una reflexión somera sobre la reinvención de Pucho Padilla no debe pasar por alto sus vínculos con Puerto Rico. Lazos familiares y comunitarios lo ligan a nuestra historia. Con sus secuelas de miseria y marginación, las vivencias del migrante tienen que haber exacerbado no sólo su resentimiento sino su hambre de dignidad.

Si es verdad que Pucho se merece el título de "combatiente enemigo" –que tan campechanamente le ha endilgado *Mister* Bush para privarlo de sus derechos ciudadanos– es algo que aún está por probarse. Intuyo que su *makeover* existencial es la cara rebelde de un *crossover* fracasado. Ante el callejón sin salida de la desigualdad, implota sin ruido el mito de la asimilación.

La experiencia colonial condena a vivir de ilusiones. La obsesión identitaria espolea el talento para la ficción. Cuestión de resistir, nos hemos especializado en la confección de máscaras. Las hay de todos los estilos y colores: taínas, gringas, europeas, africanas... También tenemos las criollas, bordadas de coquíes y flamboyanes.

En su obra *The seven pillars of wisdom*, Thomas Edward Lawrence, mejor conocido como Lawrence of Arabia, justifica así su destino de escritor aventurero: "El azar me ofreció un puesto en la revolución árabe y una gran suerte literaria." La cadena de eventos que condujo a José Padilla hasta las puertas de una mezquita no fue obra del azar.

Ha nacido Pucho de Arabia. La túnica musulmana de Abdulá Al Muhajir no logra disimular las cicatrices de cimarrón boricua que le atraviesan la espalda.

PEQUEÑOS ACTOS DE RESISTENCIA

Las guerras de antes tenían una ventaja: la ignorancia de lo que sucedía a diario en el campo de batalla permitía una cierta distancia. Uno no se enteraba de nada hasta que llegaba el mensajero con las malas noticias. Ahora, el cielo inflamado de Bagdad persigue a uno hasta en los sueños. Cosa pesada, esa sobredosis de información.

Los comentaristas de los noticieros americanos se debaten entre la objetividad y la fascinación. Seducidos por el espectáculo de la violencia remota, a veces lo glosan como narradores deportivos y otras, como críticos de arte. La glotonería de la cámara cuca la morbosidad. Pero ¿qué de la angustia? Imposible ignorar la enorme semejanza que tienen con las nuestras esas caras enmarcadas por el velo y el turbante.

Cuestión de escapar un rato a la tiranía de la imagen, salgo temprano para mi cita médica en Santurce. Decido desayunar en una fonda de la Ponce de León. Quedan pocas mesas libres y me toca una junto al baño. Por suerte, el olor a café colado disimula otros perfumes ingratos. En lo que espero mis huevos fritos con amarillos, me empino un jugo de china y observo con el rabo del ojo a los comensales.

Noto que la mirada de todos se posa como hipnotizada en una pantalla gigante pegada a la pared del fondo. Alguien ha tenido la delicadeza de bajar el volumen, pero el cintillo noticioso de CNN sigue empujándonos sin tregua su interminable hilera de horrores. Entre domos y minaretes estremecidos, los fuegos artificiales de la muerte pestañean sobre los cauces milenarios del Tigris y el Éufrates. Clavo la vista en el plato que me traen y me aplico a vaciarlo.

Todavía queda tiempo para matar, perdonando la belicosidad de la frase. Cruzo la avenida. Las aceras son anchas y la brisa sacude las copas de los árboles. Es un placer sensual el de andareguear por la ciudad. Casi sin darme cuenta, caigo en la veintidós. Bajo por la antigua calle Europa, alias Pavía, y encuentro el consultorio sin dificultad.

Aquí también, nada compite en *rating* con esa única serie de acción lanzada por *Bush-Cheney Productions*. Ni las novelas mexicanas ni los *talk shows* de Miami son tentación suficiente para un cambio de canal. Levantarme a apagar el televisor sería un acto de extrema grosería. Resignada a otra tanda de bombardeos visuales, veo que una recién llegada se me instala al lado.

Lleva las ganas de chacharear como un letrero en la frente. Me escudo tras una revista de modas. Ella se pone a echar bufidos por la nariz como gozándose un chiste privado. Eso me inquieta vagamente, pero sigo pasando páginas. De momento, la gracia le arranca una carcajada. Y yo la enfoco, imperdonable error.

Aprovechando mi atención involuntaria, gesticula con los labios hacia una mujer negra, gordísima, de pelo trenzado y túnica floreada, que arrastra los pies hacia la recepción. Mi vecina inclina la cabeza para decirme en un susurro de confesionario: Ay Jesús, esa doña no es de aquí, ¿verdad?

Por un segundo, considero someterla a la ley del mutis. Pero algo en su actitud (¿la ingenuidad del tono?) me lo impide. La miro fijamente por encima de los lentes y respondo con toda seriedad: ¿Por qué lo dice? Ahí muere la conversación. Al poco rato, se cambia de asiento.

Ajenos a nuestro discreto espadeo, ninguno de los pacientes ha despegado los ojos del televisor. Ni que el tema fuera tan apasionante. Ante la sonrisa beata de la reportera pelirroja, un especialista en armamentos explica, con lujo de detalles, la compleja mecánica de los helicópteros Apache.

A la salida, cuatro horas después, con un doctorado *honoris causa* en ciencias militares, entro en el correo de la Fernández Juncos. Allí, por lo menos, no hay más pantalla que las de las computadoras. Pido sellos y el empleado me endilga automáticamente los de la bandera americana.

Hoy no estoy como para negociaciones con La Pecosa. Pregunto con una vocecita casi humilde: ¿No tiene otros? Rebusca en una gaveta, saca una libretita y me la pone delante. Reconozco el corazón rojo y el globo verde con la palabra *love*. Le hago que no con la cabeza y contesta, sonrisa pícara incluida: El amor siempre hace falta.

Camino a Río Piedras en el metrobús, pienso en esas palabras. ¿Reproche o complicidad? ¿Filosofía pura o galantería fina? Uno ya no sabe a qué atenerse con estos empleados postales.

La guagua da un frenazo sísmico que auspicia la entrada aparatosa de un viejo disfrazado de general del ejército. Carga una docena de medallas de latón en las solapas de un chaquetón desgarrado. Mientras cojea hacia la "cocina", va arengando a un batallón imaginario: ¡Ojo al pillo, muchachos! ¡Esos vietnamitas sacan bandera blanca y te zumban la granada!

De regreso en casa, cuelo café. Me tiro exhausta en el sofá. Ahora sí. No hay manera de evitar el careo. Mis dedos se mueven como autómatas hacia el telecontrol.

CORRUPTOS Y PERSEGUIDOS

"Persecución" es la palabra del momento. Suena tanto o más en el *billboard* político que su contraparte "corrupción". Las campañas electorales de los dos partidos mayoritarios podrían resumirse en ese tedioso intercambio de acusaciones. Cada vez que alguien conquista el título de pillete, no vacila un segundo en proclamarse perseguido.

Desde que comenzaron a conocerse las bochornosas ejecutorias de tantos y tan prominentes dignatarios gubernamentales, el concepto "corrupción" ha quedado meridianamente claro. El significado de "persecución", en cambio, no parece gozar del mismo nivel de transparencia. Mientras más se invoca el término, más fuerza y contenido pierde.

Lo hemos escuchado en boca de cuanto ratero ha sido agarrado con las manos en la masa; de cuanto canalla ha reclamado a lágrima viva la complicidad de Dios; de cuanto bribón purga hoy en la cárcel sus culpas comprobadas; de cuanto descarado ha jurado inocencia hasta verse obligado a cantar culpabilidad.

No en balde resulta tan difícil separar el grano de la paja. Andar por ahí gritando persecución a cada vuelta de esquina es una actividad sumamente riesgosa. Si surgiera alguna situación digna del calificativo, el desgaste por exceso de uso liquidaría su efectividad.

Aquellos que deseen tomar un cursillo relámpago en materia de persecución política harían bien en leer el extraordinario libro de la profesora Ivonne Acosta titulado *La Mordaza.* Este apasionante ensayo investigativo documenta y analiza la creación e implantación de la nefasta Ley 53 de 1948 por el gobernador Luis Muñoz Marín y sus sellos de goma legislativos.

Inspirada en una legislación federal de corte anticomunista y bautizada con su siniestro apodo por el senador estadista Leopoldo Figueroa, la Ley de la Mordaza fue utilizada por el gobierno del Partido Popular Democrático, durante casi diez años, como paredón contra la disidencia independentista. Mediante el acecho, la delación, la fabricación de pruebas y toda suerte de prácticas ilícitas, se arrestó y se encarceló a más de mil personas. Y todo con el visto bueno del socio americano.

Numerosos son los relatos de vidas arruinadas por La Mordaza. El del poeta Francisco Matos Paoli es particularmente conmovedor. Su "delito" fue haber pronunciado cuatro discursos "subversivos". Se le atribuían como propias unas citas "incendiarias" de Betances y Martí copiadas en taquigrafía por la policía. Las armas y bombas desplegadas para manipular al jurado nunca pudieron ser vinculadas al imputado. En prisión, el poeta perdió la razón y tuvo que recibir tratamiento psiquiátrico. De esa amarga experiencia nació, años más tarde, su bellísimo *Canto de la locura.*

Eso, señoras y señores, es lo que en mi barrio se llama persecución *hard core.* Desgraciadamente, La Mordaza tuvo un efecto perdurable. El miedo y el recelo quedaron enquistados en las conciencias. El discrimen se institucionalizó, se volvió normal e invisible. Todo gobierno de turno instala su red de vigilancia ideológica y reparte entre sus fieles un nuevo cargamento de privilegios.

Los estadistas, quienes –para su honra– se opusieron entonces a la aprobación de aquella ley oprobiosa, terminaron perfeccionándola cuando, décadas más tarde, le tocó gobernar a su bando. El acoso desatado, desde fines de los sesenta, contra los simpatizantes de la independencia y el socialismo culminó, como se sabe, con los crímenes del Cerro Maravilla. Resulta irónico que algunos de los más tenaces perseguidores de aquella época cumplan hoy condenas carcelarias nada menos que por corrupción.

Los funcionarios extranjeros que dominaron nuestro pasado bipolar sentaron cátedra en el arte de suprimir la libertad de pensamiento. Fenómenos como el de los compontes españoles de 1887 y sucesos como la Masacre de Ponce de 1937 dan testimonio de un orden doméstico mantenido con mano de hierro. Como discípulos aprovechados en las ciencias de la subordinación, los puertorriqueños aprendieron a ejercer esa violencia represiva contra sí mismos.

Si las cacerías de brujas marcan una trayectoria sostenida, la memoria colectiva no observa la misma continuidad. El desconocimiento de la historia abona a la desorientación. Esto no sólo permite la repetición de viejos errores. Favorece también el oportunismo de los que, amparándose en la protección de sus derechos, cometen ilegalidades, reclaman justicia y pretenden impunidad.

MADRES CORAJE

Dos mujeres se han quedado con los principales noticieros de la televisión americana. Esta vez, no son actrices *sexy* ni aspirantes al puesto de Primera Dama. Despeinadas, con la cara desnuda y la mirada opaca, le hacen frente al lente goloso de la cámara.

Una se llama Cindy Sheehan y viene de California. La otra, Beth Twitty, vive en Alabama. No se conocen ni se parecen, pero el destino las ha hermanado en la desgracia. La primera perdió a su hijo, Casey Sheehan, en Irak el 4 de abril de 2004. La segunda busca a su hija, Natalee Holloway, desaparecida en Aruba desde el 30 de mayo de 2005. Ninguna pudo prepararse para la más honda de las penas, la que violenta el orden natural de la existencia y pone en duda la justicia de Dios.

Aquella noche, Cindy Sheehan sintonizó a CNN y oyó el nombre de Casey entre la lista oficial de los soldados muertos. Unas horas más tarde, tres emisarios del ejército le confirmaban el "sacrificio patriótico" de su hijo. Beth Twitty no corrió mejor suerte. Aquella mañana, mientras se disponía a recibir a Natalee tras el tan soñado viaje de graduación al paraíso caribeño, una llamada inesperada le avisó que su hija no estaba en el hotel y tampoco en el aeropuerto.

¿Cómo se sobrevive a ese desgarramiento físico que supone la pérdida de un hijo? ¿Cómo se vence la culpa absurda que roe el corazón por haberle permitido abandonar un día la protección del vientre materno? O, en palabras de Cindy Sheehan: "¿Cómo se hace para no saltar a la tumba con él y dejar que la tierra nos trague a los dos?"

Cindy y Beth han sabido formular respuestas enérgicas a esas preguntas. Al hacerlo, se han convertido en portavoces universales de una maternidad doliente. Por eso, las experiencias personales de las dos amas de casa sureñas, auténticas representantes de la clase media americana, han rebasado la mera fascinación de las historias "de interés humano".

En plena gloria de la juventud, dos hijos –de 24 años el uno, de 18 la otra– perseguían el hilo fugitivo de sus sueños. Todo les auguraba éxito y felicidad. Pero estaba escrito que Casey no disfrutaría de los beneficios prometidos a todo joven recluta. Y estaba escrito que Natalee no ingresaría en pre-médica con una beca de la Universidad de Alabama.

Desde el 6 de agosto de 2005, Cindy Sheehan acosa a George Bush para pedirle cuentas por el asesinato de

Casey. Con la determinación inquebrantable de las madres de la Plaza de Mayo, se ha trasladado al poblado de Crawford para dañarle las vacaciones al verdugo de su hijo. Ni el divorcio, ni la enfermedad de su madre han podido acabar con la vigilia montada frente al rancho del Presidente.

Desde el 31 de mayo de 2005, Beth Twitty ha establecido sus cuarteles en Aruba. Que no se irá de allí sin su hija, es la consigna firme con la que enfrenta la irritante lentitud de una investigación policíaca abocada al fracaso. Su desesperación la ha llevado al careo con los sospechosos del crimen y sus padres. Hasta las oficinas del Primer Ministro de la isla ha llegado. Pero el misterio del paradero de Natalee sigue desafiando el olfato de los perros y los esfuerzos de los voluntarios.

Probablemente, antes que las tocara el dolor, ni Cindy Sheehan ni Beth Twitty se pensaron capaces de tales hazañas. Probablemente, el curso estable de sus vidas no les hubiera brindado nunca un pretexto para el heroísmo. Lo cierto es que, acorraladas por la fatalidad, descubrieron una insospechada vocación de lucha.

Revestidos de una aureola simbólica, sus casos representan los de una multitud de madres calladas. En Irak, el conteo de cuerpos aumenta vertiginosamente. En los Estados Unidos, las estadísticas borrosas de las desaparecidas de la violencia sexual encubren la dimensión aterradora de otro drama.

Convertida en ícono del movimiento pacifista, Cindy Sheehan recicla en activismo febril la angustia de su luto. Vuelta un nombre casero gracias a la televisión, Beth Twitty recibe mensajes conmovedores de una infinidad de padres solidarios. El valor y la dignidad de sus respectivos combates han jamaqueado al gigante endrogado de la opinión americana.

En el ánimo férreo de estas dos mujeres se reconcilian las dos definiciones de la palabra "coraje": la actitud decidida con que se arrostra un peligro, y el sentimiento poderoso de la rabia. Coraje hay que tener para denunciar ante el mundo las mentiras que arrastraron a un hijo hasta el matadero de la guerra. Coraje hay que sentir para lanzarse contra el muro de complicidades que amenaza con sepultar por segunda vez a una hija.

Las desventuras humanas no arrasan con la verdad elemental del amor. Más bien la refuerzan. Por eso dice la tradición que las madres difuntas vuelven siempre a recoger a sus hijos a la hora de la muerte.

Y si, por un revés de la fortuna, son ellos los que se van primero, ¿regresarán también, con los brazos abiertos, en busca de quien les dio la vida?

LAS BARBAS DE RUBÉN

El otro día, me instalé frente al televisor a ver el noticiero de la tarde. Es decir, me resigné al desfile incesante de jóvenes arrestados, mujeres asesinadas y niños maltratados. De pronto, una imagen singular reclamó mi atención. Allí estaba nada menos que el Líder Máximo independentista, en pantalones cortos, sentado frente a una caseta de *camping* y luciendo una patriarcal barba blanca.

El *flashback* fue compulsivo. Entre las brumas del recuerdo surgió –con *turtleneck*, mahones y cabello rubio al viento, desafiando la villanía de la marina americana en las playas de Culebra– el imberbe Rubén Berríos Martínez de los setenta.

Sentí que la nostalgia me arropaba. Recosté la cabeza en el cojín del sofá y me fui sumiendo en una especie de duermevela placentera. Sobre el fondo oscuro del televisor, comenzó a proyectarse una deslumbrante retrospectiva de imágenes.

En blanco y negro, como en un documental de Viguié, aparece un bigotudo y trajeado Muñoz Marín izando nuestra bandera junto a una ensombrerada Inés

Mendoza. Frente al templete, las masas aplauden a rabiar. Otra figura, también en blanco y negro, se va sobreponiendo a las primeras. Entre dos policías impasibles, brilla la mirada de leona capturada de Lolita Lebrón.

Ahora me saluda, a todo color, la cara sonriente de Manuel Maldonado Denis. El legendario profesor señala hacia la izquierda y veo correr a guardias y estudiantes por un campus universitario envuelto en humos de batalla. Un cruzacalles gigantesco se ha quedado con la pantalla: *A Vietnam yo no voy porque gringo yo no soy*. A lo lejos, se oye la voz de Roy Brown cantando *Monón*.

Las escenas se suceden vertiginosamente. Corte a una guagua rellena de gente que va escalando una cuesta de montaña. Corte a las camisas negras que montan guardia frente a la iglesia de Lares. Corte a la Plaza de la Revolución con su mar de puños alzados. Pasquines y consignas pregonan inocentes: *Independencia, ya; socialismo, ahora mismo*.

Aterrizaje en Nueva York. Perfil brumoso de Ellis Island. La Estatua de la Libertad tiene un curioso vendaje en la frente. Entarimado en la calle 116, Bobby Capó entona meloso *Soñando con Puerto Rico*. Los *Young Lords* pitan y aplauden.

Apagón y cambio de ambiente. En un cafetín de Río Piedras, El Topo le compone un réquiem a Antonia Martínez. En una sala de audiencias del Capitolio, dos jóvenes muertos miran ciegamente a la cámara.

Entonces se desata un relampagueo aturdidor de titulares: Regresan presos nacionalistas. Pescadores paran prácticas *Navy*. Escapa manco de las FALN. Muere Corretjer con boina puesta. Fernando Martín narra parábola del gato en vistas Maravilla. Carlos Gallisá denuncia farsa plebiscito. Macheteros vuelan aviones Fuerza Aérea. David Noriega, fiscal del pueblo. Juan Mari Bras, ciudadano puertorriqueño…

Parpadeo unas cuantas veces para recuperarme del *blitzkrieg* informativo. Poco a poco, emerjo de mi sopor. Intentando ordenar el rompecabezas entrevisto, me embarco en la lancha de la reflexión.

La guerra contra el colonialismo ha sido y sigue siendo, esencialmente, una de símbolos. A la mitología prepotente con la que se ha pretendido catequizarnos en la fe de la falsa democracia, hemos opuesto el talismán de nuestros propios mitos.

Desde la obstinación del ser hasta la negación del no ser, nuestra resistencia ha adoptado los colores del tiempo. Cada vez que la inercia ha amenazado con tragarnos, le ha salido al paso un gesto firme y generoso.

Por eso, en esta hora de confusiones festejadas, aprecio y admiro en todo lo que vale el baluarte simbólico que han plantado los compañeros del Partido Independentista Puertorriqueño en Vieques. Como Robinson Crusoe, han hecho el mítico viaje a los orígenes después del naufragio.

En la recién bautizada playa Concepción de Gracia –donde ni las bombas ni el uranio han podido detener la cíclica reproducción de las tortugas– se han vuelto a reafirmar el poder del amor y la continuidad de la vida.

Terminado el trance, hago un esfuerzo por regresar al noticiero interrumpido. Reparo en las barbas blancas de Rubén y pienso que se las ha ganado.

Con sus virtudes y sus defectos, con sus errores y sus aciertos, es todo un señor lobo de mar, un capitán que no abandona el barco.

USMAÍL CUMPLE CUARENTA

Mi primer viaje a Vieques fue uno literario. Conocí a la Isla Nena a través de un libro olvidado por una tía en la sala de mi casa. El libro tenía un título intrigante, de resonancias bíblicas y postales. Desde las primeras páginas, me atrapó aquel relato conmovedor sobre la vida de un joven mulato nacido de los amores prohibidos de una viequense y un americano.

Publicada en el 1959, *Usmaíl* es una de las mejores novelas de Pedro Juan Soto. Su calidad y su vitalidad han resistido al paso del tiempo. Es más, la edad madura ha puesto de relieve su valor. La tragedia de Vieques quedó consignada, en toda su estremecedora desnudez, por este libro visionario.

Aunque muchos creen que el autor es originario de la Isla Nena –lo que representa un elogio para su poder de persuasión– Soto nació y se crió en Cataño. En una reveladora autoentrevista, el novelista confesó que, para escribir *Usmaíl*, había rodeado a Cataño de mar y lo había transplantado a Isabel Segunda. Las vivencias en el pueblo costero de su infancia le ayudaron a configurar convincentemente el paisaje social de otro universo.

Soto regresaba de una larga estadía en Nueva York. La escritura del libro sirvió de abono a sus raíces. Las tres décadas que cubre la acción le permitieron armar el modelo en miniatura de una nación sujeta a los caprichos militares del colonialismo. Era un proyecto ambicioso para una primera novela: nada menos que reconstruir la historia de Vieques elaborando, simultáneamente, una visión crítica de la sociedad isleña.

Con lucidez y profundidad, el autor sondea las complejidades existenciales de "la colonia de una colonia". Pillados entre la inercia administrativa y la impotencia política, sus personajes viven como fatalidad las plagas de la miseria, el desalojo y el desempleo. Las duras relaciones interpersonales desembocan en resentimiento y frustración.

En contraposición a esas realidades deprimentes, la novela explora la riqueza de la cultura popular como fuente de fortaleza interior. Nana Luisa es la figura que da acceso al mundo fascinante del espiritismo y la curandería. La vieja yerbatera ilumina con su sabiduría el camino oscuro de su protegido Usmaíl.

A los encantos de la trama –organizada a partir de las tres mujeres que forjan la biografía del protagonista– se añaden los del estilo. Como maestro cuentista, Soto domina cabalmente el arte del suspenso. La narración, a veces de una objetividad casi periodística y otras, de una intensidad casi melodramática, se enriquece con un contrapunto tonal que oscila entre la ironía y la ternura.

Además de la anticipación profética con la que abordó el tema de Vieques, hay que reconocerle a Pedro Juan Soto el mérito enorme de haber escrito la primera novela de la negritud puertorriqueña. *Usmaíl* puede parársele al lado con orgullo a novelas caribeñas de afirmación negra como *In the castle of my skin* del barbadeño George Lamming y *La rue Cases-nègres* del martiniqués Joseph Zobel.

La identidad racial, según la perspectiva original de Soto, no surge de una imposición genética sino más bien de una elección consciente. Usmaíl es el chivo expiatorio de todas las tensiones. Bastardo, mestizo, pobre y marginado, arrastra un vacío emocional que lo habrá de empujar a la violencia. Tras un gesto final de rebeldía, impone su reclamo de identidad. Al declararse negro, recobra la integridad de su persona.

Cuando en una obra se abrazan la observación y la intuición, la literatura alcanza esa meta evasiva llamada verdad. Para colmo de bienes, la realidad se ha empeñado en validar lo que sólo fue ficción en la mente de un escritor. El Vieques de carne y hueso se encamina, a paso firme, hacia la reconquista de la paz.

En esa agenda luminosa, el libro y el futuro se han encontrado. Una coincidencia tan portentosa permite concluir que, en sus mejores momentos, la vida puede –y debe– imitar al arte.

EL CRIMEN DE HORMIGUEROS

Sobre un valle costero del oeste isleño, se alza, enchumbado de luz, Hormigueros, el "Pueblo del milagro". Una leyenda le ganó su apodo: la Virgen de la Monserrate salvó en esos lares a un hacendado de la embestida de un toro bravo. Allí nació, en 1829, Segundo Ruiz Belvis. Allí murió, en 2005, Filiberto Ojeda Ríos. El azar misterioso liga así para siempre los nombres de dos luchadores caídos en combate: uno en Valparaíso, Chile y el otro en Plan Bonito, Hormigueros.

El asesinato político es constante amarga en nuestra historia. Las ejecuciones sumarias del Grito de Lares, la Masacre de Ponce y el Cerro Maravilla escribieron en sangre tres capítulos memorables de esa obra inconclusa que es el logro de la soberanía. Envilecidos por el entrampamiento y la delación, engrandecidos por la valentía y el sacrificio, esos sucesos propiciaron tres saltos de la conciencia puertorriqueña.

El 23 de septiembre de 2005, quedó inscrito en el registro de las ruindades el crimen de Hormigueros. Para saciar las expectativas de una época tan mediática, el delito quiso disfrazarse de *show*. Sacados de una película de acción parecían la aparatosidad y el aspaviento del batallón de matones a sueldo que descendió, con todo el peso de su superioridad técnica y numérica, sobre el modesto hogar del perseguido.

Con derroche de efectos especiales –incluyendo un apagón cortesía de nuestro gobierno– el productor extranjero y el director criollo no escatimaron esfuerzos para apabullar a su público. Extras ciegos y mudos fueron los vecinos, reporteros, policías y fiscales apostados cerca de la escena. De golpe, la orden de arresto se convirtió en pena capital. Aquella noche interminable, a través de las ondas radiales, el pueblo entero asistió al fusilamiento de Filiberto.

El gobernador Acevedo Vilá y sus subalternos permanecieron cómodamente arrellanados en sus palcos remotos. ¿Sería por esa especie de doblez psicológico que distancia al espectador del espectáculo? Si bien su alegada ignorancia de los detalles del atentado les sirvió de escudo momentáneo, no así la inexcusable parálisis que evitó cualquier acción salvadora. Pasaron demasiadas horas antes que nuestras autoridades se dignaran siquiera a reaccionar. Cuando por fin lo hicieron, la admisión de su impotencia acrecentó su responsabilidad.

La mañana siguiente, la sensación de desamparo era insoportable. Toda ilusión de seguridad se había venido abajo. Mientras la gente trataba de encontrarle una explicación racional a la barbarie, el eufemismo –esa manía de maquillar con palabras la fealdad de algunas verdades– imponía su versión aguada. Se lamentaba la "falta de información". Se señalaban "irregularidades". El "operativo" sustituyó al asalto; el "fallecimiento" al asesinato.

Con el correr de los días, el lenguaje de la legalidad seguía minimizando la enormidad del ataque. Se había "solicitado" una investigación: a los propios "federales". Se contaba, para esclarecer los hechos, nada menos que con la "cooperación" del FBI y el Departamento de Justicia americanos. Como si eso no hubiera bastado para atizar la ansiedad de una población traumatizada, la prensa estadounidense dio escaso relieve a la noticia que en cualquier otro sitio hubiera constituido un magno escándalo internacional.

Un conveniente estreñimiento verbal tapó las bocas oficiales. Desgarrados entre la obediencia y la culpa, los pocos líderes del Partido Popular Democrático que osaron expresarse lucían tímidos y desorientados. Los anexionistas, por su parte, invocaban para consolarse los atropellos del FBI en otras jurisdicciones de "La Nación". Sólo un deslenguado impulsivo se atrevería a pedir la renuncia del jefe de esa agencia en Puerto Rico y a denunciar un supuesto complot antiestadista orquestado entre Virginia y Washington.

Por suerte, la reticencia del miedo no era lo que reinaba en la calle. Acá se llamó al pan pan y al crimen crimen. Tan pronto se conocieron los detalles de la ejecución –la balacera inclemente, el desangramiento por inacción– el coraje desplazó al aturdimiento y la balanza se inclinó a favor de la víctima. Sin duda, lo desigual de las fuerzas en conflicto, la crueldad profesional de los verdugos, la dignidad y el valor de Filiberto deben haber despertado el sentido elemental de justicia del pueblo puertorriqueño.

Una explosión de solidaridad saludó los ritos fúnebres del nuevo mártir nacional. Entre consignas recalentadas, amenazas temerarias y otros excesos retóricos, los bandos rivales del independentismo lloraron juntos la desaparición del último guerrero albizuísta.

A lo mejor lloraban también por su propia dispersión. A lo peor enterraban con él sus esperanzas secas. Lo cierto es que la sangre desbordada de Filiberto hizo circular entre los corazones, al menos por un par de días, el sueño de la unidad independentista.

El crimen de Hormigueros representa la brutal irrupción de la realidad en la modorra de las conciencias. Se han rasgado los velos de la opresión sutil. Se han caído las máscaras de la libertad acechada. Con su muerte, el cimarrón que por quince años supo burlar el cerco del acomodo nos emplaza a arrancarnos, de una vez por todas, el grillete invisible.

Como la de Segundo Ruiz Belvis, la vida de Filiberto Ojeda Ríos oficia la reconciliación de la acción con la palabra. Si sólo eso retenemos de su ejemplo, si sólo eso heredamos de su caudal, el pueblo de Hormigueros, fiel a su tradición fundadora, habrá auspiciado otro milagro.

CONTEMPLACIONES FESTIVAS

EL ESPAÑOL EN LA SALA

Recientemente, los fanáticos del celuloide hemos vuelto a disfrutar de un privilegio que se ha tornado cada vez más raro en nuestro país: el de poder asistir a la proyección de películas habladas en español. Estamos demasiado acostumbrados –casi resignados– al monopolio del cine comercial americano, con los indispensables subtítulos que derrumban todos los días el mito de nuestro bilingüismo oficial.

Tan acostumbrados y tan resignados estamos que hasta nos parece extraña la resonancia de nuestra lengua materna en la oscuridad de un cine. Sólo muy de vez en cuando alcanzamos a oírla. Eso ocurre, casi siempre, en el marco de algún festival internacional o en el caso de un éxito taquillero difundido por alguna compañía distribuidora estadounidense. Entonces, la película latinoamericana o española nos llega con subtítulos en inglés.

Pero no siempre ha sido así. Recuerdo perfectamente que, durante mis años de infancia, algunas salas –como las del Matienzo y el Delicias– exhibían con el apoyo entusiasta del público las últimas cintas en español.

La recién llegada televisión también hacía su parte, transmitiendo constantemente producciones argentinas, españolas y mexicanas. En el Puerto Rico de la posguerra, el cine azteca desató una especie de revolución cultural que hubiera sido la envidia de Mao Tse-Tung.

México fue, en las décadas del 40 y el 50, algo así como la Meca de la Latinidad, el dique macizo que contrarrestaba, a fuerza de rancheras y melodramas, la ola arrolladora de la americanización. Extasiados frente a la pantalla grande en algún matinée dominical, hipnotizados por el Evangelio según Estudios Churubusco que divulgaba religiosamente todas las tardes Telemundo, nos emocionábamos hasta las tripas con la sufrida paciencia de Sara García, la eterna orfandad de Chachita o la insuperable maldad del villano por excelencia, Carlos López Moctezuma. Aquellas parejas inolvidables formadas por María Félix y Jorge Negrete, Pedro Infante y Marga López, Dolores del Río y Pedro Armendáriz estrujaban los corazones boricuas como lo hacen hoy, a través del mundo entero, las superestrellas del cine americano.

Y no es que estuviéramos inmunes a la seducción irresistible de Hollywood. La pérfida frialdad de Bette Davis, la simpatía ñoña de Doris Day, el arrojo viril de Charlton Heston y los amores tormentosos de Clark

Gable y Vivien Leigh tenían un arraigo cien mil veces mayor en la imaginación. Lejos de vivirse como una dualidad conflictiva, el acceso a ambos universos artísticos representaba para el espectador un tesoro inagotable de fantasía.

Los suaves tentáculos de Hollywood llegaron hasta los cuatro rincones del planeta. Y tomaron las salas mundiales con una legión de películas fabricadas según las fórmulas predecibles de los *hits* a prueba de fracaso. La cultura cinematográfica se homogeneizó. Los cineastas independientes se vieron más aislados que nunca y los cines nacionales sufrieron un rudo golpe. Furiosa, la serpiente emplumada se mordió la cola y se puso el sol en el imperio fílmico mexicano.

Paralelamente, ante el empuje de las grandes cadenas, fueron desapareciendo en Puerto Rico los teatros de los centros urbanos o convirtiéndose en discotecas y templos religiosos improvisados. En su lugar, los cines de los *malls* encontraron su vocación con la repetición de filmes impuestos por los circuitos comerciales dominantes. Así las cosas, el español dejó de hacer oír su recia voz y se fue a buscar asilo en el silencio digno de los subtítulos.

Esas escasísimas ocasiones en las que logro al fin experimentar el placer *gourmet* de ver una película hablada en español son, para mí, verdaderas epifanías. En primer lugar, tomo conciencia de haber recuperado el derecho a la diversidad. Acto seguido, me percato, no sin cierta alarma, de que me he estado perdiendo algo irremplazable. Y ese algo –independientemente de la calidad de la película– es nada menos que el contacto con las culturas que constituyen el complemento natural de la nuestra.

Tras estas constataciones iniciales, que a la vez me conmueven y exasperan, sufro una especie de desdoblamiento intelectual. Mientras una parte de mi mente sigue con deleite el desarrollo de la película, otra se dedica a observar las reacciones fascinantes de la concurrencia.

En el cine, nuestra atención suele ser bastante frágil. Comentamos, murmuramos, comemos y bebemos ruidosamente porque sabemos que podemos verificar el diálogo perdido con tan sólo bajar rápidamente la mirada al pie de la pantalla. En cambio, al repique de las primeras palabras en español, un silencio casi reverente se impone. Todo el mundo estira la oreja por temor a desperdiciar siquiera una sílaba de ese diálogo que, de pronto, ha adquirido una importancia trascendental.

El silencio es de corta duración. Le sigue un estado de gracia que va gradualmente apoderándose del público, provocando en él un entusiasmo que no tarda en detonar. La gente prorrumpe en francas carcajadas al reconocer alguna frase compartida de particular picardía o alguna palabra de cuño extranjero escuchada por primera vez. No conformes con el gozo del oído, algunos hasta repiten la frase, degustándola en la boca como sorbo de vino cotizado.

La variedad de los acentos y la riqueza léxica de los españoles hablados a través de todo el mundo hispano aumentan el embeleso de ese público que, por encima y por debajo de las diferencias dialectales, atiende y entiende.

Ver una película en español en un cine puertorriqueño es mucho más que una diversión. Me atrevo a afirmar que se trata de un intenso ritual de reconocimiento. En la penumbra solidaria de un teatro, se juega la historia de un pueblo involuntariamente apartado de su parentela lingüística y su comunidad cultural.

Cuando el español vuelve por sus fueros y se instala, como le corresponde, en el centro de la sala, el río secreto de nuestras emociones brota de las profundidades de su cauce para inundarnos a todos de felicidad.

LAS DOS BORINQUEÑAS

El idilio post-electoral de autonomistas e independentistas ha sufrido su primer choquecito público. Durante los cinco minutos de oración por el futuro de Vieques, algunos de los participantes osaron entonar la versión revolucionaria de *La Borinqueña.* Hubo caras largas y comentarios malhumorados. La Gobernadora se sintió obligada a excusarse ante un Representante estadista. El Alcalde de San Juan se alegró de no haber asistido a la ceremonia. Horror, dijo la gallina: ¿la convergencia amenazada por el himno nacional?

La semblanza del aire musical que nos identifica como pueblo es tan equívoca como la de nuestra bandera. Si no se sabe a ciencia cierta quién diseñó ni quién cosió la primera monoestrellada, tampoco han podido despejarse las dudas en cuanto a la paternidad del himno patrio. Ésta es atribuida por unos al compositor sangermeño Francisco Ramírez Ortiz y por otros, al tenor español Félix Astol Artés. Ante la oleada de persecuciones políticas que arropó a la segunda mitad del siglo diecinueve, ambos –con sobrada razón– optaron por alimentar el misterio.

Lo que sí ha quedado muy claro es que la romanticona letra de *Bellísima trigueña* –canción original que sirvió de fundamento a nuestro himno– muy pronto sufrió los embates poéticos de Lola Rodríguez de Tió. La "imagen del candor" y el "breve y lindo pie" ensalzados por aquella popularísima tonada serenatera fueron abruptamente desplazados por el "llamar patriótico", el "cañón simpático" y las "mujeres indómitas" de la autora de *Claros y nieblas*. De más está decir que al gobierno español no le hizo cosquillas el texto incendiario. El poder golpeó y las palabras cogieron el monte.

Tras los levantamientos independentistas del siglo diecinueve, *La Borinqueña* regresó, convertida en danza recatada, a los salones de baile. Aun privada de su letra guerrera, la popularidad de su melodía no hacía sino crecer. Se tocaba en las casas y en las plazas, en ceremonias cívicas y actividades informales, en bodas, conciertos, bautizos y representaciones teatrales. Sus notas aparecían traviesamente en medio de otras composiciones musicales.

El creador de la versión *light* que hoy conocemos logró incorporarla en 1904 a los *Cantos escolares* del compositor Braulio Dueño Colón. La acción, como era de esperarse, suscitó polémica. Pero se me ocurre que, al introducir en las escuelas esa melodía de estirpe nacionalista bajo el camuflaje de un texto inofensivo, el poeta Manuel Fernández Juncos realizó, a pesar suyo, un gesto sutilmente sedicioso. Por encima de la ridiculez casi paródica de los famosos tres "ohes" de Colón, el canto al "jardín florido de mágico primor" dio nuevamente voz al himno silenciado.

En 1952, para el estreno mundial de su embeleco político, el Estado Libre Asociado, Luis Muñoz Marín elevó a rango oficial el arreglo musical que hizo Ramón Collado de *La Borinqueña*. Arreglo mudo, por cierto, como mandaba esa época de dobleces y mordazas. Se habló de celebrar un certamen para ponerle letra nueva. Como el tema resultaba más peliagudo que el del propio estatus, el gobierno le puso discretamente pichón a esos planes.

De haber sabido que existía una traducción al inglés firmada por Francisco Amy ("*How beautiful Borinquen, my peerless native land...*") seguro que el gobernador Carlos Romero Barceló no hubiese oficializado en 1977, mediante la ley 123, la versión de Fernández Juncos. Tal vez la medida fue un recurso astuto para compensar por sus gestiones represivas. Y quién quita que no se tratara de un eficaz desvío para atajar el retorno sorpresa de la letra revolucionaria.

He querido repasar la tortuosa trayectoria de nuestro himno nacional para poder afirmar, con algún grado de certeza, que nunca ha habido dos sino una sola, única y entrañable *Borinqueña.* Esa emotiva canción que echó raíces en el corazón de nuestros ancestros pudo vencer todos los acosos y todos los compontes. Acallada, modificada, suavizada, pero nunca descartada, siguió centelleando como vela votiva en la catedral de la memoria.

Cuando su autor le dio vida a los acordes de una guitarra, cuando Lola, apasionada, le imprimió el soplo vital de su palabra, cuando, al compás de pianos y bombardinos, se bailaba y tarareaba entre abanicos y guiñadas, nadie sospechaba el destino maravilloso que conocería aquella humilde tonada, convocadora de sueños y voluntades.

Ninguna de las dos versiones de *La Borinqueña* debería excluir a la otra. Independientemente del manejo político que se haya hecho de ellas, ambas responden a momentos importantes de nuestra evolución. Si la revolucionaria marcó los inicios turbulentos de la nacionalidad, la paisajista supo evidenciar el insobornable apego del boricua a las bellezas de su patria.

Ya es tiempo de superar la mezquindad de la ignorancia para enfrentarnos a las complejas realidades de la historia. Ambas letras deben ser reconocidas y honradas por todos los puertorriqueños.

CONFESIONES DE LA MONOESTRELLADA

No hay mal que dure cien años ni cuerpo que lo resista, dice el refrán. Vaya consuelo. Aquí me tienen, vivita y coleando a los ciento tres, para probar lo contrario. Como conozco de sobra su incredulidad, voy a darme el gustazo de contarles algunos episodios de mi sufrida biografía.

Nunca conocí a mi verdadero padre, aunque dicen las malas lenguas que pudo haber sido o don Manuel Besosa o don Antonio Vélez Alvarado. Aquí entre nos, prefiero la teoría mucho más romántica que le atribuye la paternidad de esta servidora al poeta arecibeño Pachín Marín. Tampoco supe a ciencia cierta si mi madre fue doña Mima Besosa o doña Micaela Dalmau. Las santas manos de la una o la otra cosieron un buen día mi diseño, espejo revertido del de mi gemela, la bandera cubana.

Mi presentación en sociedad ocurrió el 22 de diciembre de 1895 en el mismo corazón de Manhattan. Sí, queridos compatriotas, salí al mundo en Nueva York, ese inmenso suburbio de Puerto Rico. De la Babel de Hierro, me fui con los voluntarios puertorriqueños a la manigua de Cuba, donde recibí mi bautismo de fuego.

Llegado el fatídico 1898, hice una involuntaria aparición en Guánica pintada en los botones que decoraban las solapas de los soldados invasores. Los muy ladinos tuvieron el atrevimiento de usar mi egregia estampa para engatusar a los tatarabuelos de todos ustedes con el cuento de la libertad regalada.

Libertad, *my eye*. Una vez instalados en su primera colonia, los más antiguos anticolonialistas del hemisferio se dedicaron a humillarme como gusto y gana les dio. No bien plantaron pata en estas playas, espetaron por todas partes a La Pecosa, esa atrevida que ahora no me suelta ni en las cuestas.

A la muy intrusa, dicho sea de paso, le di el susto de su vida de la manera menos esperada. En 1917, atracó en el muelle de San Juan el buque de guerra francés *Jeanne d'Arc*, cuya marina fue agasajada en la Plaza de Armas. Allí estaba yo, de lo más campechana en plena alcaldía, colada entre las banderas de Francia y Estados Unidos.

Después de escuchar los himnos de esos países, los marinos franceses presentaron armas ante ambas banderas. Por último, también hicieron los honores a mis humildes franjas. Confundidas por el gesto de los franceses, las tropas americanas se vieron obligadas a rendirme pleitesía. Con el rabo de la estrella, observé con deleite cómo temblaban de furia las pecas de la mentada.

La década del veinte resultó particularmente desagradable. Al gobernador Montgomery Reilly, mejor conocido en Puerto Rico como Moncho Reyes, le ponía los pelos de punta el verme ondeando sensualmente en la brisa. Por eso, le ordenó al jefe de La Secreta –un *redneck* de Kansas de apellido McGlure– apearme a las malas de cuanta asta osara engalanarse con mi presencia.

Un día, *Mister* McGlure paró en una calle de la capital a un automóvil que me llevaba en la ventana. Gritándome *dirty rag* (insulto que mi crianza neoyorquina me permitió traducir inmediatamente como "trapo asqueroso"), me agarró de un zarpazo y me lanzó contra los adoquines, procediendo a pisotearme con todo el salvajismo de su inculta bota imperial. La revancha fue inmediata. De costa a costa y del llano a la montaña me enarbolaba la gente. Hasta en la sopa le salía yo a Moncho Reyes.

Color de hormiga brava se pusieron las cosas en los treinta. Por aquello de apaciguar a las masas, el gobernador Beverley tuvo la inelegancia de pretender concederme el anémico rango de "enseña territorial". Tamaña ofensa –¿no les parece?– para cualquier bandera que se respete.

Así es que, ni corto ni perezoso, mi gran defensor, Pedro Albizu Campos, montó un mitin de protesta frente al Capitolio. Allí, por desgracia, perdió la vida Manuel Suárez Díaz, un mártir de mi causa. A don Pedro, bendito, le formularon cargos por "incitación a motín", pero a eso él ya estaba acostumbrado. Para esa época, precisamente, el Partido Nacionalista me adoptó como insignia, decisión que contó, de más está decir, con mi más entusiasta aprobación.

Cada vez que se formaba un reperpero, el gobierno se las desquitaba conmigo. Por suerte, mis protectores resultaron más tenaces que mis perseguidores. Recuerdo que, en 1936, Mariano Villaronga, el principal de la Ponce *High*, rehusó rotundamente acatar la orden de arriarme. Tampoco olvido la infausta Masacre de Ponce y aquel gesto sublime de Dominga Cruz cuando, entre las balas de la policía, me izó en su propio brazo.

Al estallar la Revuelta Nacionalista del '50, estuve con Blanca Canales en Jayuya proclamando la República. Cuál no sería mi indignación al ver a aquellos que dos años más tarde me nombrarían pabellón del Estado Libre Asociado allanar las casas que me albergaban. Así fue como cayó preso el maestro Modesto Gotay, en cuyo patio reinaba yo desde hacía treinta y cuatro años.

Por fin, en 1952, después de tanta bronca, me oficializaron. A punto estaba casi de celebrar la ocasión, cuando pillé, de reojo, a la metiche Pecosa muerta de la risa a mi lado. Sépase que, desde aquel momento, siempre me las arreglo para flotar en dirección contraria, cuestión de virarle la cara. Sépase también, para el *record*, que de ninguna manera me quedé yo dada. Lolita Lebrón rescató mi honor al desplegarme en medio de una muy movida sesión del Congreso USA en el '54.

Menos mal que los sesenta me trajeron algunas alegrías. Durante la conmemoración del Grito de Lares, volví a encontrarme con mi hermana mayor, la cruzada tricolor de ese pueblo y prima segunda de la bandera dominicana. Evocando memorias de familia, entonamos juntas *La Borinqueña* de doña Lola y hasta la bailamos en el aire.

Proscrita nuevamente en los setenta –era terrible en la que el FBI y la policía de "La Nueva Vida" estadista fichaban a todo el que me exhibiera– fui poco a poco infiltrándome. Empecé a aparecer en los sitios menos pensados: en viseras, en brazaletes, en toallas, en fondillos de mahones, en comerciales de televisión… Los boricuas de la otra orilla del Atlántico se las ingeniaron para engancharme en la mismísima frente de la Estatua de la Libertad.

Ser a la vez oficial y subversiva no es algo demasiado saludable para una bandera de mi edad. ¡He soportado tanta ceremonia! ¡He inspirado tantos versos! ¡He presenciado tanto abuso! ¡He cubierto tantos ataúdes! Negada y afirmada, insultada y aclamada, en perpetuo corricorre y subibaja, no he conocido un solo segundo de paz.

Hoy más que nunca, tengo la intuición de que mi merecida apoteosis está a la vuelta de la esquina. El otro día, a los acordes de mi plena favorita, fui tema central del Desfile Puertorriqueño de Nueva York. Poco después, la Huelga General de los Trabajadores me escogió como símbolo de unión.

Todavía, a estas alturas de la historia, no vuelo libre y soberana sobre mi isla amada. Me atengo, paciente y confiada, a la hospitalidad de su corazón.

LLÁMENME GLORIA

Excúsenme si empiezo por presentarme. Aunque llevo más de cien años ondeando bajo el cielo de esta simpática Antilla, motivos tengo para pensar que sigo siendo entre ustedes una total desconocida.

Aquí donde me ven, acabo de conmemorar mis dos siglos y cuarto de vida. Saquen cuenta los descreídos. En 1776, el General George Washington me declaró estandarte del Ejército Continental que puso a correr como cucarachas a los ingleses. Todavía en aquel momento no me engalanaba la brillante constelación que más tarde vendría a realzar la sobria elegancia de mis franjas rojas y blancas.

Un año después, el Congreso premió mi distinguidísima carrera militar ascendiéndome a pabellón nacional de la primera república de las Américas. Salí pues de las humildes y laboriosas manos de *Miss* Betsy Ross cosida, lavada y perfumada para mi *vernissage*.

Soy, por si no lo sabían, la bandera revolucionaria más antigua del hemisferio occidental. Cuando el reyicidio ni siquiera rozaba la imaginación de los europeos, ya yo inspiraba sueños de rebeldía en las trece colonias británicas. Mi heroica gesta –si se me permite esa pequeña inmodestia– fue ejemplo libertador para los pobres de Francia, los esclavos de Haití y los criollos latinoamericanos.

Admitan que el simpático apodo de *Old Glory* me sienta de maravilla. Me lo endilgó mi amigo el Capitán Driver, a quien por siempre agradeceré el haberme salvado el pellejo durante la Guerra Civil Americana. Mención especial también merece Francis Scott Key, autor del célebre poema promovido a himno nacional que acabó de consolidar mi estrellato.

Con semejante pedigrí, les juro por la Campana de la Libertad que siempre viví en la absoluta certeza de un futuro decente. No estaba nada preparada para el mal rato que la historia me tenía en remojo. Cuando rugieron los cañones de la Guerra Hispanoamericana, se revolcaron en sus tumbas los Padres Fundadores.

¡Qué escándalo sin precedentes! ¡Los cheches del independentismo convertidos, poco más de un siglo después, en vulgares invasores de islas indefensas! Intentos de tapar el cielo con la mano no faltaron. Mientras los más hipócritas invocaban la solidaridad internacional, los más carifrescos se amparaban en la doctrina del Destino Manifiesto. Y todos continuaron tan felices, celebrando el cuatro de julio con fuegos artificiales.

¿Para eso fue que me treparon, a son de trompetas, las tropas del General Miles en las astas salitrosas que dejó vacantes la bandera española? Cada vez que me acuerdo, se me quieren caer de vergüenza las estrellas. De tanto abuso que presencié, me agarró una depresión galopante. Perdí la alegría de flotar. Me dejaba izar y arriar sin entusiasmo mientras meditaba, franjibaja, sobre las contradicciones del *homo americanus*.

Un buen día, abrí los ojos y vi que no estaba sola. Allí, mirándome de lo más oronda, daba bandazos al viento una especie de cruce entre la bandera de Cuba y la de Texas. Me pareció increíble que fuera la de Puerto Rico. Por lo menos delante de mí, nadie había proclamado ninguna independencia. Confieso que casi me alegré. Bastantes sufrimientos le había costado a la pobre subir tan alto.

En los cincuenta y pico años que llevamos oficialmente enyuntadas, no he hecho más que escuchar su lamento borincano: que estuvo más de medio siglo metida en el *closet*; que los mismos que la sacaron luego la persiguieron; que los del otro bando igual la fastidiaron; que todavía hoy, cuando por fin la reconoce el pueblo entero, tiene que seguir de rabo mío, colgada como un cero a mi izquierda... Yo la dejo pataletear y desahogarse sin decir ni esta boca es mía. A estas alturas, no estoy para meterme a psicóloga. Sépase, por si acaso, que yo también tengo mis traumas.

Sospecho que me estoy quedando ciega. O, a lo mejor, me estoy poniendo vieja. Lo cierto es que me resulta cada vez más difícil distinguir a mis fanáticos de mis críticos. De un tiempo para acá, me asustan muchísimo más los primeros. Aquellos que se desgañitan vociferando insultos en defensa mía, los que me agitan como pandereta de parranda y hasta me encaraman con grúas en los postes de la luz, me lucen mucho más alejados de mi credo que los que antes me desgarraban o me pegaban fuego en nombre de la justicia.

Pónganle el sello: la estadía prolongada en una colonia termina por nublar el entendimiento. Eso me cantaletea día y noche la colega monoestrellada. Mientras tanto, la banderita azul celeste de Vieques se ha ido aguzando. Últimamente, le ha dado con invitarme a la desobediencia civil, y créanme que lo he considerado. Estoy loca porque se vaya el *Navy* por donde mismo vino, a ver si se me cicatriza el ego.

Antes de despedirme, estimados amigos y vecinos, permítanme un pequeño consejo. En vez de estrujarme y zarandearme como a vil mapo de cocina, reconozcan mi verdadera identidad de bandera libertaria.

Y, por aquello de ayudarme a rescatar mi *standing* ancestral, háganme un gran favor: llámenme Gloria.

NOCHEVIEJA EN *THE TWILIGHT ZONE*

Cada treinta y uno de diciembre, llega la Nochevieja con sus salvas de petardos vuelatímpanos y su cortejo de liturgias forzosas. So pena de tener que renunciar al certificado de ciudadanía puertorriqueña, hay que vestirse de rojo o amarillo, reunirse en familia para presenciar el fiestón televisado, corear el conteo regresivo de segundos, botar a medianoche el balde de agua con las malas vibraciones, disparar besos como balas perdidas y tirarse otra vez, con los ojos cargados de sueño, el babazo del *Brindis del bohemio*.

Antes de que me cuelguen el sambenito de aguafiestas, permítanme la siguiente salvedad. No tengo objeciones mayores a ese simpático jolgorio, aclamado por el consenso eufórico de quienes comparten el calendario gregoriano. Admito que es útil, agradable y hasta necesario trazar fronteras temporales, demarcar lo ido de lo venidero, romper de un cantazo con el ayer para sacarle pecho al mañana. Pero, como suele suceder con otras tradiciones, el peso de la costumbre y la desmesura de las expectativas tienden a convertir el placer en obligación.

Lo malo de las despedidas de año es justamente eso: que son todos los años.

Ya sé que la repetición tiene sus recompensas. Supongo que le imprime un cierto (y falso) sentido de permanencia a la vida. Ay, pero si no fuera tan seguida la cosa, si se pudiera declarar algo así como una moratoria festiva, instituir una celebración bienal o, mejor todavía, cuadrienal, qué tremendo alivio sería. De pronto, la Nochevieja se sacudiría el polvo de la rutina para adquirir el brillo de lo excepcional.

En todo caso, el compromiso de la alegría por decreto resultaría más llevadero para las legiones de neuróticos, misántropos, cínicos, hastiados, resentidos, agriados, aborrecidos y otras especies solitarias del planeta, que no tendrían que entrar en estado de hibernación compulsiva la víspera de Año Nuevo. Si los psicólogos hasta han tenido que inventarle un nombre a esa pejiguera. Le llaman "depresión estacional".

Consignada mi inconsecuente disidencia minoritaria, venga la admisión. Esta vez no la pasé nada mal. Como las amistades se fueron de viaje (nueva tradición que se impone entre los renegados pudientes de San Silvestre) y los vecinos se quedaron con la calle a merengazo limpio, nos preparamos una modesta cena, nos empinamos unas copitas de coquito y nos sembramos frente al televisor. La suerte quiso que el canal 38 se acordara de nosotros y transmitiera, cada media hora, durante toda la noche, un maratón de la famosa serie de los años sesenta: *The Twilight Zone.*

¿Quién no recuerda el tema musical que la introduce, la melodía inquietante que convoca al suspenso? ¿Quién no reconoce la cara grave de Rod Serling abriendo y cerrando cada episodio con voz grave y sentencias lapidarias? El tiempo ha ennoblecido la serie, la ha vuelto objeto de culto. Y muy merecidamente. No estamos ante otra pedestre antología de ciencia-ficción. La sencillez aparente de la trama nos adentra en territorio minado. Cada libreto explora, con gracia y agudeza, los enigmas de la humanidad.

Vistas, revistas y requetevistas a través de los años, las historias conservan su encanto original. Recortadas, intensas, contundentes, de un dramatismo seco realzado por el contraste en blanco y negro, todas tienen la deslumbrante desnudez de lo esencial. Los temas se revelan insólitos y a la vez familiares: la tentación de cambiar el destino, la fantasía de convertirse en otro, la obsesión de escaparse a otra parte... Alguien ha trastocado las reglas del juego. La placidez cotidiana disimula trampas. Un paso, un giro, un gesto, una frase, y quedamos atrapados en la dimensión desconocida.

Por un momento, lo real se inclina ante lo imposible; el deseo rige la moralidad. Un hombre encuentra una moneda que le permite leer mentes. Otro descubre una vellonera que predice el futuro. Un soldado puede ver por los ojos del enemigo. Un vendedor ambulante logra timar a la muerte. Pero no hay bien que por mal no venga. El poder es un sueño traicionero. Y el azar se reserva la última carcajada.

Fue un banquete digno de la ocasión. Mientras vivíamos las emociones prestadas de aquella serie hipnotizante, los gritos de los vecinos anunciaron el embate del nuevo año. Los pitos y las cornetas estremecieron el edificio. Los fuegos artificiales adelantaron el amanecer.

Intercambiamos besos y abrazos. Y, acurrucados en el sofá, con la luz de la pantalla alumbrándonos los ojos, nos sentimos felices en nuestro escondite, libres en el laberinto de la imaginación.

SALUDOS DESDE CÁDIZ

Desde esta cripta infecta que custodia mis restos mortales, desde esta fétida fosa en la que mi osamenta se codea a las malas con las de once difuntos de menor prosapia, envío a mis dilectos compatriotas un gélido abrazo.

¡Quién me hubiera dicho a mí, don Ramón Power y Giralt –preclaro vecino de la calle Tetuán, eximio héroe de la batalla naval de Palo Hincado, primer diputado puertorriqueño y vicepresidente de las muy venerables Cortes de Cádiz– que habría de estrenar la eternidad de forma tan poco elegante! A falta de un mausoleo junto al Atlántico, estos ingratos gaditanos hubieran podido al menos reservarme un nicho privado en su cementerio municipal.

Deslució mis exequias aquella maldita fiebre amarilla que no sé dónde caraxos pillé. ¡Y pensar que, allá en San Juan, jamás mosquito criollo osó rozar con su miserable aguijón mi ilustre epidermis! En medio de escalofríos y convulsiones, exhalé el postrer suspiro. Y sin poder levantar un solo hueso en defensa propia, tuve que dejarme carretear hasta este inhóspito sótano de iglesia donde, hace ya casi dos siglos, aguardo sin impaciencia el tan postergado homenaje.

Pocas semanas ha, voces inquietantes retumbaron en las galerías subterráneas de San Felipe Neri. Con el vecino cuyo fémur triturado reposa sobre mi esternón, comparamos retazos de conversaciones entreoídas a través del mármol. ¡Cosas veredes! A los señores miembros de la Cámara de Representantes de Puerto Rico los ha picado, de buenas a primeras, la mosca de la repatriación.

Para salirse con la suya, tendrán que identificar mi insigne despojo entre la maraña de fósiles que lo espachurra. Las cenizas del tiempo han sabido misturar rótulas y vértebras, astrágalos y clavículas, calcáneos y omóplatos, instituyendo en el conjunto una esdrújula confusión. La democracia forzosa de la muerte ha terminado por imponernos a todos su tediosa igualdad.

¡Pardiez! Acaba de llegar a España una comparsa internacional de arqueólogos, antropólogos, patólogos y parapsicólogos. Ni todo el oro del situado mexicano bastaría para costear los gastos de tan nutrida delegación. Se habla de verificación de rasgos a partir de pinturas, de una supercheria nombrada ADN y otras artimañas diabólicas.

Admito que la seducción de un posible retorno no me dejó indiferente. Confieso haberme visto médicamente reconstituido, fúnebremente reciclado, cómodamente instalado en un mullido ataúd y –¡por fin!– cristianamente sepultado en tumba de mi exclusiva propiedad. En el viejo cementerio capitalino, con la bandera monoestrellada desplegada como baldaquín protector sobre mi lecho y las olas arrullando mi sueño perpetuo, se inscribiría el epitafio épico en piedra de posteridad.

Unos planes de tal envergadura exigían algunas averiguaciones previas. Así pues, mi espíritu indómito de antiguo teniente de navío emprendió la riesgosa aventura de un viaje astral. Me separé, no sin cierta pereza, de mis vetustos residuos y, atravesando la inmensidad de la mar oceana a la velocidad del sonido, pude volver a pasearme como alma en pena por las calles de mi entrañable San Juan.

Lo que presencié me revolcó el ectoplasma: aceras y cunetas abarrotadas de basura; mendigos y narcómanos asediando al transeúnte; asaltos a mano armada; una incesante procesión de vehículos; un estruendo ensordecedor de gritos y bocinas; en fin, un salvajismo incivilizable y una grosería epidémica.

Cuestión de ponerme al día, entré a la Biblioteca Carnegie, donde leí hasta los clasificados de los periódicos. ¡Malhaya la hora en que lo hice! Así fue como me enteré de los continuos escándalos que han hundido en el estiércol del desprestigio a toda una partidocracia en bancarrota.

Trampas, robos, embustes, quiebra de reputaciones, homicidios morales... Dante se hubiese dado gusto repoblando su infierno con ese catálogo de asquerosidades. Pero lo que más me sulfuró, lo que me elevó a niveles astronómicos la presión fantasmal fue el cinismo simpático de los mercaderes de votos, la amable infamia de los traficantes de falsos ideales.

¡Vive Dios! ¿De qué demonios me valió rasparme tres luengos años en las dichosas Cortes y batirme a brazo partido contra los abusos de los gobernadores peninsulares? ¿Por qué rayos me fastidié la salud y la espalda en nombre de la autonomía, clavado en aquella lóbrega sala de audiencias y brillando con la corbata el anillo mohoso del obispo Arizmendi?

He regresado a Andalucía en la serenidad que brinda una inmortalidad bien llevada. Y he tomado una decisión. ¡De aquí no hay quien me saque! Que nadie se guarde las espaldas con mis virtudes. Que nadie se vista con mi gloria para salvar su indigna estampa.

A mi provecta edad, no hacen falta vergüenzas prestadas. He de permanecer, por el próximo milenio, en el anonimato acogedor del útero glacial que ha sabido servirme de patria.

Saludos desde Cádiz. Y ustedes, señorones de los hemiciclos, ahórrenle sus cuartos al tesoro público, dedíquense a desenterrar la dignidad perdida y préndanme un velón en la catedral.

ANTE LA CAMPANA DE LA LIBERTAD

Estando en Filadelfia una tarde, decidí llegarme hasta la calle Chestnut para echarle un vistazo a los símbolos nacionales de los Estados Unidos de América. El más impresionante de ellos es la Campana de la Libertad, guardada celosamente en una capilla de cristal a sólo pasos del ayuntamiento donde se firmara, en 1776, la Declaración de Independencia.

Una multitud impaciente esperaba su turno a la entrada. Me sentía algo incómoda, no tanto por los indiscretos empujones recibidos en la fila como por la discreta batalla campal que libraban mi conciencia y mi curiosidad.

Me estaba un tanto contradictoria la posición de turista colonial rindiendo pleitesía a la epopeya independentista del país que ha dominado al suyo durante más de un siglo. Todavía más contradictoria se me antojaba la de la nación que había inaugurado la lucha antimperialista en nuestro hemisferio para, finalmente, convertirse en campeón mundial del colonialismo.

Entre la siguiente veintena de escogidos, pasó al fin esta servidora. Disciplinadamente desfilamos todos hacia el altar sobre el que reinaba la gran campana iluminada. Experimenté el delicioso escalofrío que siempre me producen los ritos solemnes de la humanidad.

Como para reforzar las paradojas, un joven guía negro tenía a su cargo la presentación. Lo primero que hizo fue mostrarnos, con gesto ampuloso, la increíble grieta del bronce venerado. Sí, señores, tal y como lo leen: la Campana de la Libertad está –y siempre estuvo, desde sus orígenes mismos– profundamente agrietada. Lo profético del signo me dejó debidamente sobrecogida.

Nuestro sonriente mentor procedió a formular la tesis que sostendría a lo largo de su exposición: que aquella venerable campana no era ya un símbolo exclusivo de la independencia americana sino más bien un instrumento al servicio de toda lucha libertaria. Nos explicó a continuación que, tras haber cumplido con su misión original, se había cogido unas merecidísimas vacaciones.

En el siglo diecinueve, cuando la esclavitud estaba en su apogeo, los abolicionistas le habían dado razones para volver a cantar. La campana había tocado nuevamente para las sufragistas, aquellas bravas mujeres que reclamaban justicia electoral en las primeras décadas del siglo veinte. Ya más cerca de nuestra época, recurrieron a sus buenos oficios los adversarios de la odiosa Guerra de Vietnam. Tampoco los militantes de la causa de los derechos civiles se quedaron sin oírla repicar.

Durante la presentación del guía, yo observaba la actitud reverente con la que algunos turistas americanos escuchaban el honroso *résumé* de su campana. La satisfacción que estiraba sus labios, la atención que encendía sus ojos, todo aquello me provocaba algo así como una vaga envidia mechada de ternura y de rabia. Ternura, porque la expresión humana del amor a la patria conmueve. Rabia, porque la doble vara usada por los imperios para medir el patriotismo propio y el ajeno desafía la comprensión.

¿A santo de qué es ese sentimiento una virtud en los Estados Unidos y un delito en Puerto Rico? ¿Con qué derecho pueden los americanos disfrutar impunemente de un orgullo que su país se ha dedicado, tan sistemáticamente, a criminalizar, perseguir y sofocar en el mío? Asaltada por las interrogantes, yo insistía en mi mudo debate. En respuesta, los rostros enrejados de nuestros presos políticos se asomaban a mi memoria.

¿Qué diferencia real existe, mirándolo bien, entre los *Sons of Liberty* y los nacionalistas puertorriqueños? Ninguna que no sea la victoria de los primeros y la derrota de los segundos. Digan lo que digan los que la transcriben, la historia lleva siempre la firma de los vencedores. Aquellos que una vez impusieron, por la fuerza de las armas, sus agendas sediciosas son ahora objeto de culto en los países donde prevalecieron sus causas.

En cambio, la mala fe política tilda de locos, ilusos o terroristas a quienes, en otras latitudes, han luchado por ideales similares sin lograr alcanzarlos. Sabotear la mercancía británica, cubrir de brea y plumas a los funcionarios ingleses de las trece colonias americanas, disparar contra las tropas leales al rey de Inglaterra fueron, en su época, actos subversivos severamente condenados. ¿Quién contradice hoy la oronda unanimidad que celebra cada cuatro de julio, entre paradas y petardos, esos mismos atentados?

Por fortuna, el reparto de la historia no es definitivo. Por desgracia, nadie puede predecir cuándo y cómo cambiará. A veces tienen que transcurrir varios siglos para que se mueva el juego. Otras veces, la impaciencia del tiempo estalla sin avisar.

Dice Pauline Maier en su libro *From Resistance to Revolution* que, tan tarde como en 1765, ningún líder, ni siquiera el más ardiente enemigo de la monarquía, creía en la viabilidad de la independencia. Diez años después, se había virado patas arriba la tortilla colonial.

Un aplauso resonante vino a interrumpir mi monólogo interior. A punto de saludar estaba cuando descubrí que la ovación marcaba el final de la explicación. Atrapada en mis obsesiones atávicas, acababa de perdérmelo.

El relampagueo de las cámaras inauguró la inevitable tanda de retratos para el álbum. Por aquello de practicar la famosa hospitalidad de la "Ciudad del Amor Fraternal", al guía le dio con entrevistar a los presentes. Salvo dos o tres europeos, alguno que otro asiático y yo, los visitantes eran todos americanos.

–¿Y usted, de dónde es?

Tan distraída andaba que la pregunta me agarró desprevenida. Y así, sin maldad ni alevosía, cedí al travieso impulso de contestar: Puerto Rico: ¡campanada pendiente!

Un silencio diplomático invadió la capilla. Mis ojos se citaron con los del guía. No sé si la chispa que vi en ellos fue un engaño de la emoción. Lo cierto es que, apuntando triunfalmente hacia la Campana de la Libertad, mi aliado americano anunció con elegancia suprema:

Damas y caballeros: Someto el caso.

ENCENDIDOS

Las vacas flacas de la economía no han podido atajar los ritos inaugurales de la Navidad. Habrá embrolla pública por las próximas diez generaciones, pero para la juerga general no hay déficit que valga. Ya lo dijo quien lo dijo y con lujo de cacumen: la última cuenta la paga el diablo.

El diablo, por cierto, tiene serios motivos para protestar. A cuenta de los puertorriqueños, las deudas pendientes del príncipe de las tinieblas deben haberse disparado hasta la estratósfera. Imagínense la cara del contable infernal al calcular lo que cuesta anualmente el encendido navideño de cada pueblo: publicidad, invitaciones, luces, sonido, tarima, árbol, adornos, orquesta, petardos, fuegos artificiales, y el total alegremente multiplicado por 78. Más el IVU.

Pensándolo bien, para que se lo roben los políticos, que se lo goce el pueblo. Y, además, ¿con qué cara viene el diablo a reprocharnos excesos? ¿No se jacta de ser el ángel caído de las orgías? ¿Y acaso no nos regalaron sus malos oficios un año particularmente pródigo en materia de crimen? Asesinatos a granel, fraudes por furgones, pillería choreta: debe haberse arruinado pagándole *overtime* a los diablejos del Departamento de Tentaciones.

Si las Navidades no existieran, habría que inventarlas. Son el consuelo cíclico de los "chavaos", el alivio estacional de los "aborrecíos". Por eso llegan, muy oportunamente, justo después de la temporada de huracanes. Representan el equivalente de lo que en otras vecindades se llama carnaval: una explosión de tensiones guardadas, una reivindicación vital de la alegría.

Todo, todo conspira para transformar el ambiente y liberar el ánimo. Con la complicidad del sol, los días se encogen y las noches se alargan. A mayor oscuridad, mayor incitación al festejo. Con la demora de la mañana remolona, cobra nuevo sentido la frase "hasta la amanezca". Desde noviembre, un bienvenido bajón de temperatura despide al sofocón. Por unos breves meses, los acondicionadores de aire cogen sus merecidas vacaciones en lo que el fresco ventila los cuerpos y recarga las mentes.

El jueves de Acción de Gracias, se inicia el desfile de suculencias que romperá récords globales de colesterol y triglicéridos. Esa fiesta norteña adaptada a la sazón criolla (de lo que el pavochón da testimonio fehaciente) nos entrena para el acabose gastronómico. De ahí en adelante, no hay dieta que se sostenga. El ADN colectivo reclama a gritos lechón y arroz con gandules. Y se desata la histeria universal cuando la escasez de plátanos amenaza con dejarnos sin pasteles.

Mientras tanto, las ventas del madrugador –especie de olimpiadas del consumo– fuerzan las compuertas del despelote. So color de baratillo, se cepillan en par de horas sueldos, bonos, préstamos y ahorros. Las filas de la víspera se han convertido ya en un vacilón por derecho propio. Hay quien las hace sólo por el placer de trasnochar en buena compañía con termos de coquito y loncheras de morcillas. También se cuelan gansos altruistas para venderles turnos buenos a los comodones.

Encandilada por la fiebre festiva, la gente ilumina salas, rejas, techos, balcones y jardines. La inventiva luminotécnica genera competencias y produce instalaciones deslumbrantes. Lástima que el comercio haya perdido la costumbre del decorado de vitrinas que, en la era gloriosa de González Padín, convocaba multitudes extasiadas. Hasta la moda se contagia con el brilloteo de la estética ornamental. Cómplices del fasto parrandero, las tiendas sacan sus ajuares más vistosos y relucientes.

El retorno triunfal de la música típica para un corto pero intenso reinado despierta emociones viscerales. Como después de un larguísimo exilio, cuatro, guitarra, güiro y maracas se juntan otra vez en un cálido seis de contentura. Sus trinos y repiques se le meten dentro –por los oídos, por la boca, por los poros, por las uñas de las manos y los pies– al boricua más renegado. De buenas a primeras, el canto y el baile, esas artes supremas del jolgorio nacional, toman por asalto la isla de costa a costa.

No cabe duda: el verdadero encendido de la Navidad es el del espíritu puertorriqueño. Sin consignas divisorias ni manipulaciones políticas, volvemos a encontrarnos en familia por un tiempo liviano y pasajero. En el disfrute cabal y generoso de los placeres esenciales de la vida reside nuestro único proyecto.

Entre cenas y brindis, destellos y regalos, entre acordes, risas y abrazos, el corazón de mi país se inflama de felicidad como una esplendorosa flor de Pascua.

VISTAZO DE CLAUSURA

MIRADA DE DOBLE FILO

Todos los días, los medios de comunicación nos atosigan un exceso enervante de noticias. Todos los días, descubrimos una nueva causal de estrés. Las primeras planas lo proclaman, la opinión pública lo repite: Puerto Rico es el peor país del mundo, el más vago, el más vicioso, el más violento, la Meca de los ineptos, el Jauja de los corruptos.

Las estadísticas no consuelan. Figuramos con cierta prominencia en cuanto listado de catástrofes bajo la jurisdicción estadounidense se publica. Per cápita: patético. Desempleo: galopante. Educación: colgada. Criminalidad: incontrolable. Si no figurásemos también en cualquier catálogo internacional de desastres comparados, sería casi como para sospechar la existencia de un complot del Pentágono para desprestigiarnos.

Un pesimismo contagioso permea el ambiente. Aun cuando, en un arrebato de exotismo, el *World Values Survey* de Estocolmo nos ha declarado el lugar más feliz del mundo, hay quienes prefieren pensar que no hay en la historia de la humanidad doliente pueblo más afligido que éste. Frente a la magnitud de nuestros pesares, Irak es un remanso de paz y Haití una sucursal del paraíso. El marco de referencia, desde luego, es Estados Unidos de América, bastión inexpugnable de la abundancia y la comodidad.

Se impone una distinción clave. No es lo mismo un pesimista profesional que uno aficionado. Extraterrestre habría que ser para no entregarse de vez en cuando al gusto masoquista del desahogo. En ocasiones, la descarga se vuelve un arte necesario. De lo contrario, la ansiedad acumulada se traduciría en rabia sorda y muda, algo sumamente peligroso para el equilibrista mental. Cosa muy diferente es exhibir sin pudor, a toda hora, la llaga sangrante de un eterno descontento, vivir echando pestes contra los compatriotas, sentenciando al país sin apelación.

Si bien es cierto que existen serias razones para andar preocupados, el ejercicio continuo del pesimismo acaba por minar las defensas. El menor inconveniente es vivido como obstáculo infranqueable. La menor indicación de carestía es percibida como atentado a la dignidad. Con los problemas magnificados a escala sobrehumana, el lamento constante nutre la impotencia. El panorama luce más tupido que un cielo bajo el embate conjunto del polvo del Sahara y el volcán de Monserrat.

La felicidad, desde luego, siempre está en otra parte. Como antaño la Fuente de la Juventud, la tierra bíblica de la leche y la miel se sueña hoy en la Florida. Y así, hay pesimistas que lo apuestan todo al pasaje de ida. Otros siguen atrapados entre el lloriqueo y la inacción.

Si largarse es arriesgarse a la ley de fuga, quedarse podría representar un acto heroico de cobardía. Sin un plan de rescate, equivaldría a hundirse plácidamente con el naufragio de las ilusiones mientras se despotrica contra el que agarra un salvavidas.

Claro que, bajo las circunstancias actuales –gobierno en quiebra, costo de vida disparado y austeridad en perspectiva– el optimismo ciego tampoco es una opción razonable. Es más, si me obligan a escoger, más vale un pesimista consciente que un optimista engañado.

Ésos que nos machacan sin cesar que Puerto Rico es lo mejor de los dos mundos, la estrella fulgurante del Caribe, modelo ejemplar para escarmiento de republiquetas fuñidas, son, en su adicción al panegírico oficial, mucho más insufribles que los aguafiestas declarados.

La arrogancia es el reverso del optimismo. Con una irritante sonrisita de superioridad, se endilga el calificativo de "tercermundista" a cualquier situación que contradiga el espejismo de un Puerto Rico "de primera". Apagones y cortes de agua, campamentos de madrugadores frente a centros comerciales, trifulcas en la legislatura, filas en gasolineras y asaltos en cajeros automáticos – entre tantos episodios folclóricos que se asocian con latitudes vecinas– motivan una y otra vez la trillada referencia al Macondo de Gabriel García Márquez.

A fin de cuentas, optimistas y pesimistas empedernidos comulgan juntos en el conformismo. Tan improductivo resulta el elogio de la inmovilidad como la crítica que no conduce al cambio. A la hora de la crisis, la mirada que se tiende sobre el país no debería ser ni exclusivamente eufórica ni estrictamente depresiva. Lo que se me figura más provechoso –o menos inútil– es practicar algo así como una mirada de doble filo.

Hay miradas que matan, dice el refrán. Y, ciertamente, hay miradas que salvan. Sola, cada una de ellas se basta para lograr un único objetivo: la detección del daño o el rescate de lo constructivo. El verdadero reto sería reunir ambas funciones en un mismo golpe de pupila. La capacidad para transformar la vida comienza precisamente ahí, en el ojo que penetra la opacidad de lo real para atisbar el asomo de lo posible.

El otro día, caminaba junto a un amigo por las calles de Río Piedras. Mientras yo iba contabilizando las grietas que frenaban el avance de los pies, él iba, con la cabeza alzada, apreciando los finos detalles arquitectónicos que agracian la fachada de algunos edificios antiguos. De momento, se me transparentó la misteriosa simultaneidad de dos planos sobrepuestos: el del inexorable deterioro de la ciudad y el de la conmovedora resistencia del arte.

Así propongo que enfrentemos hoy la severidad del momento, amolando al máximo de agudeza nuestra arma vital. No existe poder mayor que el que confiere el doble filo de la mirada.

Que un filo sirva para punzar la verdad y el otro para tallar la esperanza.

CONSULTA DE REFERENCIAS

NOTAS INFORMATIVAS

– Huracán a la vista

La estación de huracanes a la que se alude es la de 2004.

– Santurce es Santurce

En 2003, el gobierno estatal emprendió un proyecto para la supuesta revitalización de Santurce. Pese a la lucha intensa que dirigió, en defensa de los residentes, la Junta de Acción Comunitaria San Mateo de Cangrejos, el proyecto desembocó en la demolición de barrios históricos y el desalojo de numerosos vecinos.

– A Río Piedras herida

El 21 de noviembre de 1996, una explosión de gas en el sótano de una tienda ubicada en el Paseo de Diego de Río Piedras dejó un saldo de 33 muertos y 69 heridos.

– **Blues de Santa Rita**

Entre los años 2005 y 2007, por encima de las objeciones presentadas por la Asociación de Residentes de Santa Rita y el Centro de Acción Urbana de Río Piedras, una firma de ingenieros demolió varias residencias de valor artístico en las calles Córdova Dávila y Pelegrina.

– **Crímenes urbanos**

El sonado caso del complejo de edificios Paseo Caribe y sus efectos negativos sobre la conservación del fortín San Jerónimo del Boquerón han despertado la indignación general. En 2007, un grupo de ambientalistas liderado por Alberto de Jesús (Tito Kayac) protagonizó una dramática manifestación de protesta en reclamo urgente de acción gubernamental.

– **¿Dónde está Yesenia?**

En 2007, Eddie Samir Rodríguez fue sentenciado a cadena perpetua por cargos relacionados con la desaparición de su esposa, ocurrida ocho años antes. Hasta el momento, el cadáver de Yesenia Ortiz Acosta no ha sido hallado.

– Un artículo contra natura

En 2001, aún estaba vigente en Puerto Rico el artículo aludido. En 2003, tras una decisión del Tribunal Supremo de los Estados Unidos, esa ley quedó inoperante.

– Pucho de Arabia

En 2002, José (Pucho) Padilla fue arrestado en Estados Unidos, declarado "combatiente enemigo" por el presidente George W.Bush y sometido durante años a un tratamiento ilegal para detenidos de nacionalidad americana. En 2007, con una flagrante escasez de evidencia, un tribunal lo declaró culpable de apoyar una celúla terrorista.

– *Usmaíl* cumple cuarenta

En 1999, se cumplieron cuarenta años desde la publicación de la novela *Usmaíl*, escrita por Pedro Juan Soto.

– **Confesiones de la monoestrellada**

En 1998, centenario de la invasión americana a Puerto Rico, se conmemoraron 103 años del nacimiento de la bandera puertorriqueña, ocasión que inspiró este texto.

– **Llámenme Gloria**

En 2001, los Estados Unidos de América celebraron el 225 aniversario de su Declaración de Independencia. El monólogo de su bandera, apodada *Old Glory*, alude a esa ocasión.

FECHAS DE PUBLICACIÓN

Las sesenta y una columnas recogidas en este volumen fueron publicadas por el periódico *El Nuevo Día* en las fechas indicadas a continuación:

Mi país es el mar	1 de abril de 2005
Mi amigo el río Piedras	7 de junio de 2001
Huracán a la vista	3 de septiembre de 2004
La isla genérica	2 de octubre de 2003
Santurce es Santurce	4 de febrero de 2005
El nombre de mi calle	2 de marzo de 2007
A Río Piedras herida	10 de diciembre de 1996
Blues de Santa Rita	6 de marzo de 2003
Estación Río Piedras	3 de marzo de 2006
Crímenes urbanos	3 de agosto de 2007
Esa amable crueldad	3 de junio de 2004
Un segundo de silencio	4 de agosto de 2006
¿Dónde está Yesenia?	4 de julio de 2000
S.O.S. hombres	4 de diciembre de 2003
Honor al hombre tierno	1 de septiembre de 2006
El jaleo del perreo	23 de mayo de 2002
Una lanza por los escritores	17 de mayo de 1999

Bailarines	1 de abril de 2004
Un artículo contra natura	22 de marzo de 2001
¡*Good-by*, Sodoma!	3 de julio de 2003
Felicidades, Elton John	6 de enero de 2006
Cementerios	14 de noviembre de 2002
MUER-TV	5 de febrero de 2004
Bronson vive	4 de septiembre de 2003
Los adelantados de la muerte	2 de febrero de 2007
El palo de los embustes	18 de julio de 2002
Los crucificados de la guerra	6 de abril de 2007
Muerto pero decente	6 de julio de 2007
Destellos fúnebres	4 de noviembre de 2005
Radio Cháchara	1 de julio de 2005
El contable japonés	4 de marzo de 2005
Oh, Guaynabo *City*	1 de mayo de 2003
El salón de las dos verdades	5 de junio de 2003
Plebiencuestas Inc.	9 de noviembre de 1998
La Gran Película Puertorriqueña	7 de enero de 2005
Las esposas contraatacan	4 de marzo de 2004
Operación "Por lo menos"	6 de agosto de 2004
Ver Washington y morir	1 de junio de 2007
Consejos para futuros aspirantes	13 de noviembre de 1999
Cosas de Tom	3 de febrero de 2000
La Cumbre de la Indecisión	1 de octubre de 2004
Desde el balcón de Isolina	6 de octubre de 2006

Érase una vez el silencio	11 de marzo de 1997
Imagínese que usted tiene un hijo	28 de diciembre de 2000
Para nombrar a Piri	6 de mayo de 2004
Pucho de Arabia	20 de junio de 2002
Pequeños actos de resistencia	3 de abril de 2003
Corruptos y perseguidos	2 de julio de 2004
Madres Coraje	2 de septiembre de 2005
Las barbas de Rubén	3 de junio de 1999
Usmaíl cumple cuarenta	19 de julio de 1999
El crimen de Hormigueros	7 de octubre de 2005
El español en la sala	7 de enero de 1997
Las dos Borinqueñas	31 de enero de 2001
Confesiones de la Monoestrellada	30 de julio de 1998
Llámenme Gloria	5 de julio de 2001
Nochevieja en *The Twilight Zone*	5 de enero de 2007
Saludos desde Cádiz	21 de marzo de 2002
Ante la Campana de la Libertad	4 de mayo de 1998
Encendidos	7 de diciembre de 2007
Mirada de doble filo	5 de agosto de 2005

ÍNDICE ONOMÁSTICO

D

E

F

G

M

N

O

S

T

U

V

W